シンプル＆モダンな伝統柄 31

ちくちく楽しむ
刺し子の
かわいい
花ふきん

監修 吉田久美子

CONTENTS

CHAPTER I
方眼を生かした模様

4 　角十つなぎ
5 　格子つなぎ
6 　斜め十字つなぎ
7 　花格子
8 　矢羽根
9 　檜垣
10 　寄木
11 　もみじ
12 　変わり麻形文
13 　変わり山路
14 　花角七宝つなぎ
15 　結び亀甲

CHAPTER II
斜線を生かした模様

16 　角亀甲
17 　霰亀甲
18 　変わり毘沙門亀甲
19 　篭目
20 　六角花文
21 　六つ手つなぎ
22 　変わり松皮菱
23 　菱に丸十

CHAPTER III
曲線を生かした模様

24 　七宝つなぎ
25 　七宝くずし
26 　花刺し
27 　千鳥つなぎ
28 　青海波
29 　野分

CHAPTER IV
一目刺しの模様

30 　花十字（柿の花）
32 　変わり米刺し
33 　井桁に八角つなぎ
34 　一目井筒つなぎ
35 　一目格子

36 　刺し子の基礎
41 　模様の描き方と刺し方のポイント
50 　ふきんを刺すときの注意・仕立て方
51 　実物大図案

＊この本に関するご質問はお電話またはメールで
書名／刺し子のかわいい花ふきん
本のコード／NV70241
担当／谷山亜紀子
Tel.03-3383-0637 (平日13：00～17：00受付)
Webサイト／「日本ヴォーグ社の本」
http://book.nihonvogue.co.jp/
＊サイト内"お問い合わせ"からお入りください（終日受付）。
（注）Webでのお問い合わせはパソコン専用となります。

本誌に掲載の作品を、複製して販売（店頭、ネットオークション等）することは禁止されています。手づくりを楽しむためにのみご利用ください。

CHAPTER I

方眼を生かした模様

方眼紙を使って描き起こすパターンを集めました。
縦横の直線が多いほど布が落ち着き、
初心者にも刺しやすい模様になります。

角十つなぎ（かくじゅうつなぎ）

四角と十字を重ね、横につなげた角十つなぎは
階段状の横線を刺してから、中の四角を刺します。
短い直線の連続で刺しやすく、入門編としてもおすすめです。

製作／生越廣子　模様の描き方／p.41　実物大図案／p.51

格子つなぎ

9マスの格子を縦横斜めのラインで
つないだような模様がユニーク。
1色で刺すとまた違うイメージになります。

製作／左氏志津代　模様の描き方／p.41　実物大図案／p.52

斜め十字つなぎ
(ななめじゅうじつなぎ)

リネンに赤い糸で刺した斜めのクロス模様は、
北欧のテキスタイルのよう。
斜線は布を伸ばさないように注意して刺します。

製作／野原貴子　模様の描き方／p.41　実物大図案／p.53

花格子(はなごうし)

斜め格子の交点に、小さな針目を加えた花格子。
花を散りばめたような愛らしさが際立ちます。

製作／日吉房枝　模様の描き方／p.41　実物大図案／p.54

矢羽根(やばね)

矢につけた羽根をかたどった模様は、シンプルで力強い。
刺しやすい模様なので、
はじめてのチャレンジにも向いています。

製作／石井礼子　模様の描き方／p.42　実物大図案／p.55

檜(ひ)垣(がき)

長方形を斜めに組んだ模様は、
檜板でできた垣根の様子を表しています。
グラデーションの糸で変化を出してみました。

製作／平野久代　模様の描き方／p.42　実物大図案／p.56

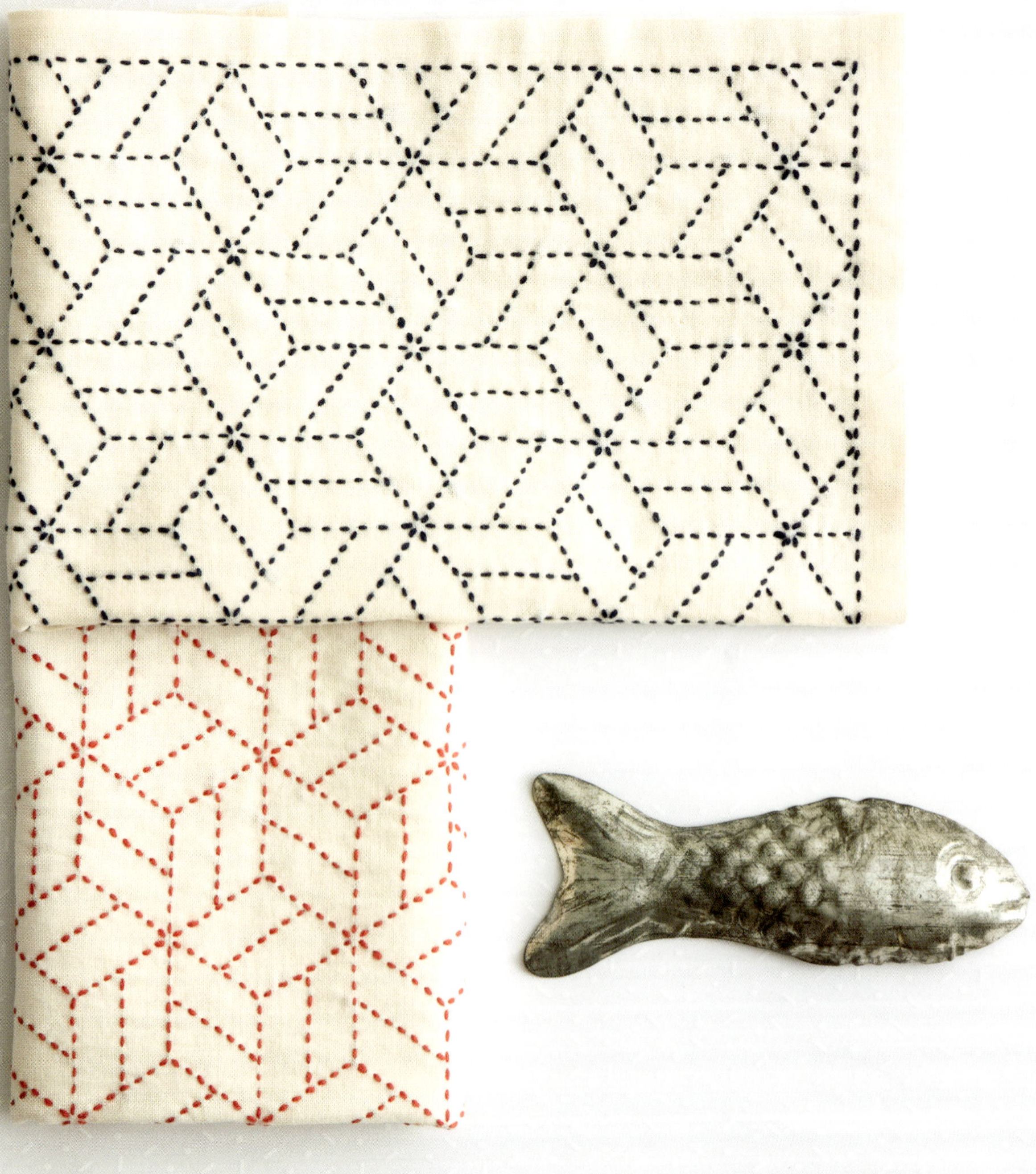

寄木細工を思わせる、
細かく分割された模様がとてもきれい。
立方体を積んだようにも、星柄を並べたようにも見えます。

製作／中崎ちよ子　模様の描き方／p.42　実物大図案／p.57

もみじ

色づく紅葉の葉っぱをかたどりました。
直線に小さなクランクを入れるイメージで、
続けて刺すことができます。

製作／星野ゆき子　模様の描き方／p.42　実物大図案／p.58

変わり麻形文 (かわりあさがたもん)

子供の健やかな成長を願う麻の葉模様は
刺し子の代表的な柄。
そこから派生した図案がたくさんあります。
配色を工夫することでも、イメージが変わります。

製作／高林美千代　模様の描き方／p.43　実物大図案／p.59

変わり山路(かわりやまじ)

ジグザグの山道を表す「山路(やまじ)」をアレンジ。
縦横それぞれの方向に続けて刺せるので、
見た目よりも刺しやすい模様です。

製作／小林せきよ　模様の描き方／p.43　実物大図案／p.60

花角七宝つなぎ
<small>はなかくしっぽう</small>

角七宝をアレンジして花のように。
おしべにあたる部分の色を変えると、いっそう効果的。

製作／鎌田京子　模様の描き方／p.43　実物大図案／p.61

結び亀甲（むすびきっこう）

大きな三角形の中に、亀の甲羅のような
小さな六角形が隠れています。
シンプルですが、動きのある楽しい模様です。

製作／近藤胡子　模様の描き方／p.44　実物大図案／p.62

CHAPTER II 斜線を生かした模様

斜眼紙で製図すると三角形や六角形なども描きやすく、斜線が生きる模様になります。

角亀甲（つのきっこう）

六角形は「亀甲」と呼ばれ、長寿の象徴として好まれてきた図案です。辺を少し伸ばして「つの」を出すと、独特の愛らしさが生まれます。
1目出すのが一般的ですが、2目出してみたら雪の結晶のような趣に。

製作／元吉多見　模様の描き方／p.44　実物大図案／p.63

霰亀甲
（あられきっこう）

小さな亀甲をたくさん散らして大きな亀甲を重ねると、
また印象が変わります。
この模様は六角形ですが、
方眼紙で製図することもできます。

製作／中崎ちよ子　模様の描き方／p.44　実物大図案／p.64

変わり毘沙門亀甲

細長い亀甲を3つ組み合わせたような毘沙門亀甲は、
毘沙門天の鎧の柄を元に生まれたそう。
続けて刺しやすいように、模様中央にラインを入れています。

製作／元吉多見　模様の描き方／p.44　実物大図案／p.65

籠
目
（かごめ）

竹籠の編み目を模したパターンは、
きりりとした色合いがよく似合う。
視点を変えると、風車のようにも見えてきます。

製作／真田きぬ　模様の描き方／p.45　実物大図案／p.66

六角花文（ろっかくかもん）

模様中央の小さな針目は、小花のようにも
大輪の花の花芯のようにも。
できるだけ針目を揃えて、美しく刺しましょう。

製作／池上トモ　模様の描き方／p.45　実物大図案／p.67

六つ手つなぎ

六角形をアレンジして描く、麻の葉模様の派生形です。
ミックス糸で刺すと色の変化が楽しめますが、
濃い色の布に白っぽい糸で刺しても印象的な模様です。

製作／生越廣子　模様の描き方／p.45　実物大図案／p.68

変わり松皮菱(かわりまつかわびし)

松の皮をかたどった模様のラインを二重にしました。
バッテンが斜めに連なっている風にも見えます。

製作／吉田久美子　模様の描き方／p.46　実物大図案／p.69

菱に丸十
ひし まるじゅう

菱形模様と丸に十字を組み合わせて。
色の組み合わせ次第でいろいろなイメージが楽しめそう。

製作／陶 久子　模様の描き方／p.46　実物大図案／p.70

23

曲線を生かした模様

CHAPTER III

円から展開する模様は、ふくよかな柔らかさが魅力。
型紙を使ってきれいなカーブを描いておくのが、
きれいに仕上げるコツです。

七宝(しっぽう)つなぎ

無限につながる円を重ね、七種の宝物を表す吉祥文様。
ラインの色や色合わせの変化でもがらりと印象が変わります。

製作／小林節子　模様の描き方／p.46　実物大図案／p.71

七宝くずし
しっぽう

七宝つなぎの一部を刺すと、
また全然違うイメージになります。
布が伸びやすいので
注意して刺しましょう。

製作／石突七恵　模様の描き方／p.46　実物大図案／p.71

花刺し(はなざし)

七宝つなぎを45度回転させて格子のラインを入れると、
七宝模様が花に見えてきます。
配色を効果的に生かして。

製作／吉村冨美子　模様の描き方／p.46　実物大図案／p.72

26

千鳥つなぎ

たくさんの鳥が飛ぶ様子を表した千鳥つなぎ。
大きな花が並んでいるようにも見えます。

製作／草場良枝　模様の描き方／p.47　実物大図案／p.73

青海波
(せいがいは)

海の白波をモチーフにした青海波模様。
縦に少し長い楕円形にして、イメージを変えてみました。

製作／松原和子　模様の描き方／p.47　実物大図案／p.74

野分
(のわき)

「野分」とは、野原を吹き分ける強い風のこと。
秋風になびくススキをイメージして、
茶色の糸で刺してみました。

製作／浮田友子　模様の描き方／p.47　実物大図案／p.75

一目刺しの模様

CHAPTER IV

一定の長さに決めた針目で、規則的に刺していく一目刺し。
全面に糸を刺し込むので、
布がしっかりして厚みが出るのも特徴です。

花十字（柿の花）
（はなじゅうじ）（かきのはな）

横方向にすべてのラインを運針したら、次は縦方向に。
ただちくちくと無心に刺すだけで、
十字の模様ができ上がっていきます。

製作／幅田和子　模様の描き方／p.47　実物大図案／p.76

裏側には、「柿の花」と呼ばれる別の模様が現れます。
とても不思議で感動的です。

変わり米刺し

米の字をかたどった米刺しをアレンジして、
2色の糸で刺してみました。
裏側にはバッテンとクロスが並びます。

製作／池上トモ　模様の描き方／p.48　実物大図案／p.79

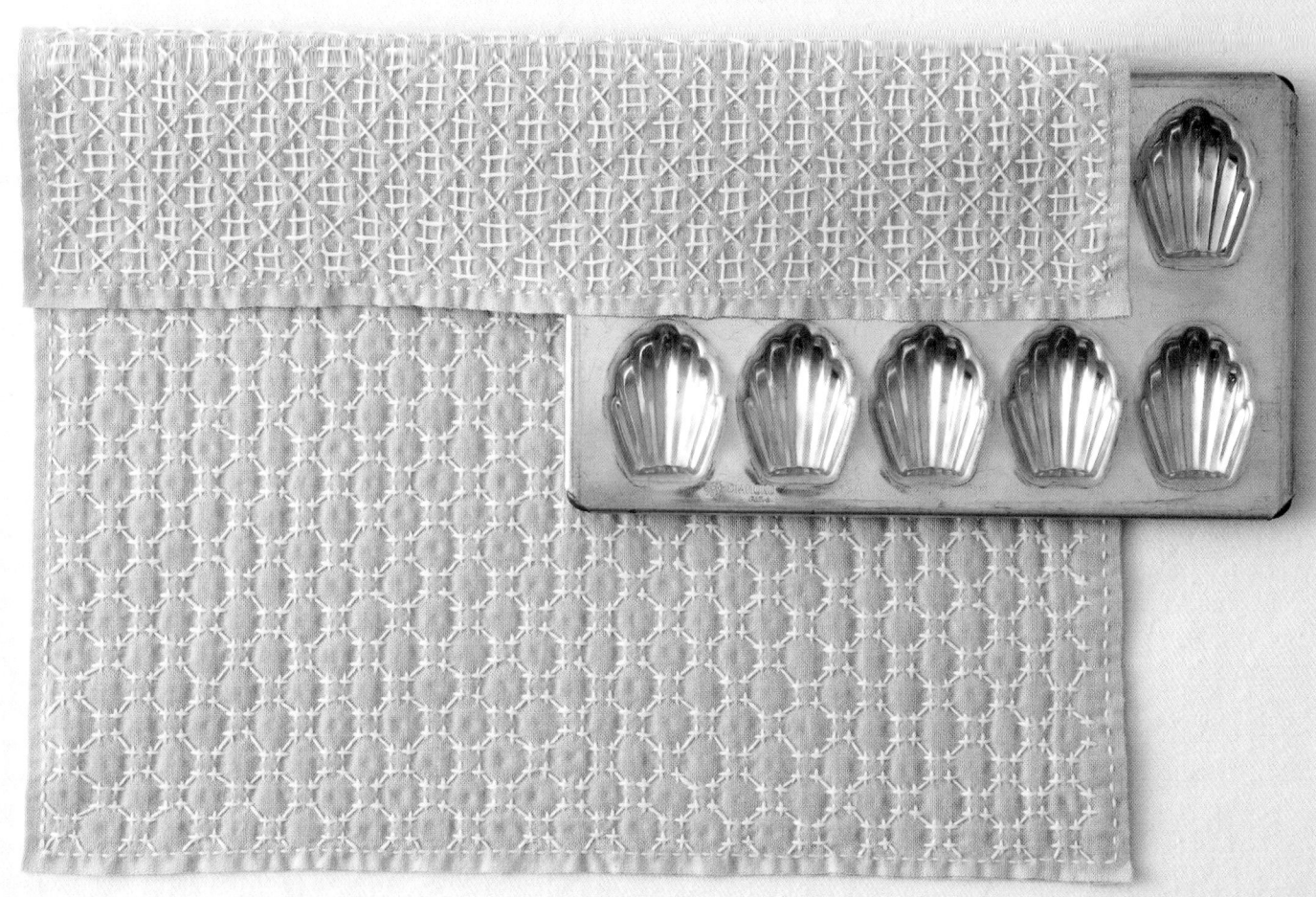

井桁に八角つなぎ

縦横に糸を刺して井桁模様を作り、
さらに斜めに刺して八角形に。
一般的な刺し子柄を一目刺しにしてみました。

製作／近藤胡子　模様の描き方／p.48　実物大図案／p.77

一目井筒つなぎ
(ひとめいづつつなぎ)

井戸のまわりの枠をかたどった井筒模様を一目刺しで表現。
クッキーみたいな幾何学模様と
小さな四角が並んでいるようにも見えてきます。
裏側の模様も、とびきりかわいい。

製作／吉田久美子　模様の描き方／p.48　実物大図案／p.78

一目格子(ひとめごうし)

格子柄を一目刺しにすると、まるでワッフル地みたい。
裏側は小さな十字がドット状に並んでいます。

製作／吉田久美子　模様の描き方／p.48　実物大図案／p.79

刺し子の基礎 BASICS

用意するもの
絶対に必要なのは、布と糸と針。そのほかは必要に応じて揃えましょう。

|布|
刺し子のふきんにはさらし（A）を使うのが一般的で、2枚重ねで使います。1反（約10m）で1000円前後と値段も手ごろ。ふきん1枚分にカットされた商品やきれいな色のさらし（B）も販売されています（オリムパス製絲）。さらし以外では、針通りのよい、あまり厚くない平織の布が向いています。吸水性のよいリネン（C）やコットンもおすすめ。厚手の布は刺しにくく、あまり薄手でも布がつれやすいので注意します。

|糸| D
この本では、刺し子用の木綿糸「オリムパス刺し子糸」と「ホビーラホビーレ 刺し子糸（ステッチヤーン）」を使っています。

|針|
針穴が大きく、針先のとがった刺し子用の針が使いやすいでしょう（E）。長さや太さがいろいろあるので、布の厚みによって使い分けます。布をとめておくまち針も（F）。

|スレダー| G
糸が太いので、針穴に通すのにあると便利。

|指ぬき| H
針の頭を当てて運針を助けます。なくても構いませんが、使ったほうが針目が揃ってきれいに刺せます。

|はさみ|
頻繁に糸を切るので、にぎりばさみ（I）があると便利。カット布を使わない場合は、裁ちばさみ（J）も用意しましょう。

|図案を描くための用具|
チャコペン（K）やヘラ（L）と定規（M）で布に直接製図をするのがいちばんラクです。水で消えるタイプと自然に消えるタイプのチャコペンがあると便利。定規は方眼のマス目が入っているものがおすすめです。七宝・つなぎなどの円を元にした図案には、サークルプレート（N/円定規）があるととても便利。自分で型紙を作ってもよいでしょう。
図案を写す場合は、水で消えるチャコペーパー（O/手芸用複写紙）とトレーサー（P）、トレーシングペーパーとセロファンを使います。

用具/クロバー

布に図案を描く

まずは図案を正確に描いておくことが、きれいな仕上がりへの第一歩です。

布に直接チャコペンで描く
案内線と図案線を引くので、自然に消えるチャコペンと水で消えるチャコペンを使うと便利です。

1　ふきんの準備をし（P.50参照）、二つ折りにして両端に折り目をつけます。

2　もう一方向にも二つ折りにして両端に折り目をつけ、布の中央を決めます。

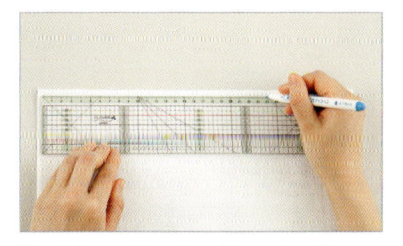

3　中央から長さを測り、始めに水で消えるチャコペンでまわりの枠を描きます。

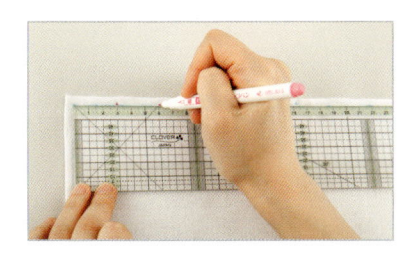

4　自然に消えるチャコペンを使い、案内線を引くための印をつけます。

5　自然に消えるチャコペンで案内線を引きます。（水で消えるチャコペンを使う場合は、ごく薄く引きましょう。）

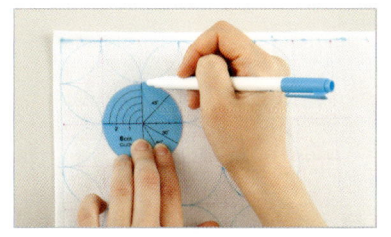

6　水で消えるチャコペンで刺し子図案を描きます。曲線の図案は、サークルプレートや厚紙で作った型紙を使ってカーブを描きましょう。

案内線をヘラで引く方法
2枚の布が密着してずれにくくなるので刺しやすく、案内線も残らないので仕上がりがきれいです。

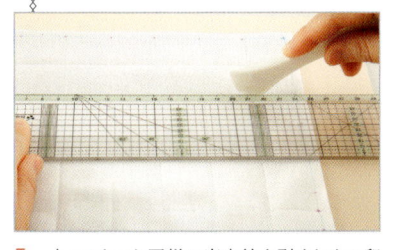

5　上の4までと同様に案内線を引くための印をつけ、ヘラを使って案内線をつけます。下にボール紙などの厚紙やカッティングマットを敷き、力を入れて引くとラインがはっきり出ます。

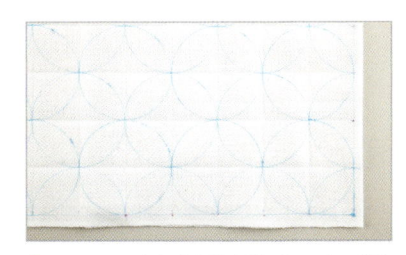

6　ヘラでつけた案内線を元にして、水で消えるチャコペンで図案を描きます。

布を重ねて図案を写す方法
色の薄い布は図案が透けて見えるので、そのまま写し取ることができます。

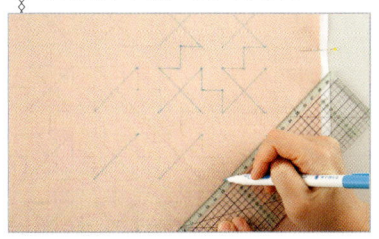

図案の上に布を乗せて中央同士を合わせ、まち針で固定して図案をチャコペンでなぞります。（さらしの場合は2枚の間にはさむ。）模様の交点に印をつけ、定規を使って描くとよいでしょう。

チャコペーパーで実物大図案を写す

1　トレーシングペーパーに写した（またはコピーした）図案と布の中央同士を合わせてまち針でとめ、間にチャコペーパーを裏向き（チャコ面が下）にはさんで図案の上にセロファンを重ねます。

2　セロファンの上から、トレーサーで図案をしっかりなぞって写します。（セロファンはトレーサーの滑りをよくし、図案を保護するために使用。包装用のものでOK）

3　きちんと図案が写せているか、確認してからはずします。

糸の準備をする

刺し子糸はカセになっているので、カセをほどいて使います。

カセ糸の使い方
(使いやすい長さにカットしておく方法)

糸つぎが面倒だからと長い糸で刺すと、刺しているうちにもつれたり糸が毛羽立って汚くなるので、こまめに新しい糸に替えて刺しましょう。「下手の長糸」という言葉もあります。

1　ラベルをはずします。

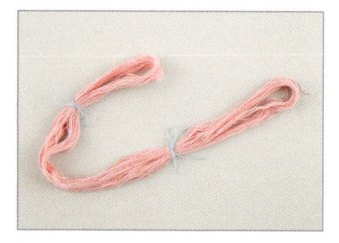

2　カセをほどき、2ヵ所を別糸やリボンなどで結びます。

3　輪の片側をカットします。

4　切った反対側の輪の部分から1本ずつ引き抜いて使います。

糸を無駄なく使う方法

1　ラベルをはずし、カセをほどいて厚紙や糸巻きに巻き取ります。糸が絡まないように慎重に。カセに両手を入れて2人で作業するとラクです。

2　巻き終わり。切込みを入れて糸端をとめておきます。

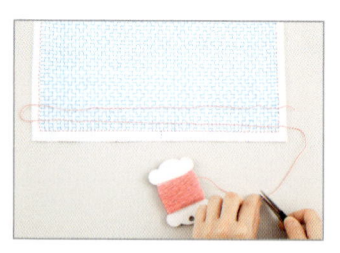

3　図案に糸を沿わせて長さを測り、10cmくらいの余裕を持たせてカットします。(最長でも図案の長さの2倍＋10cmに)

＊特に一目刺しの場合は始めと終わりを布端で玉どめにしたいため、この方法だと無駄なく使えます。

糸の通し方

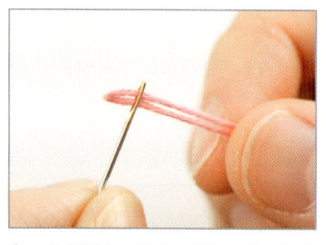

1　糸が割れて針穴に通しにくい場合は、糸端から5cmくらいのところを針の頭に当てて二つに折ってつぶし、折り山を針穴に押し入れて通します。

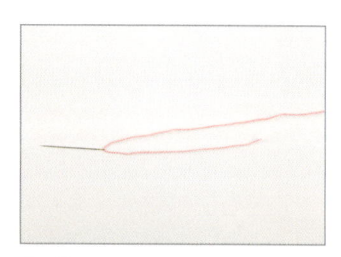

2　通ったら、10〜15cmくらいのところで糸を折り返します。

スレダーを使う方法

1　スレダー(糸通し)を使うと、ラクに通すことができるのでおすすめです。針穴にスレダーを通し、スレダーに糸を通します。

2　スレダーを引き、糸を針穴に通します。

指ぬきの使い方

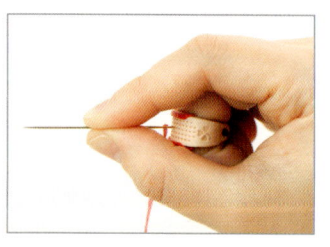

きき手の中指の第一関節と第二関節の間にはめ、指ぬきの穴に針の頭を固定して、親指と人さし指で針を動かします。

玉結び

1　針先に糸端を1〜2回巻きつけます。

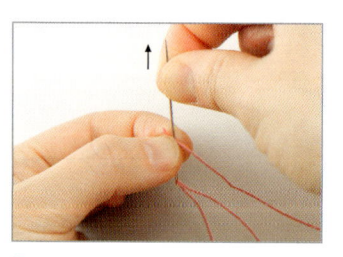

2　巻きつけたところを指で押さえて針を抜きます。

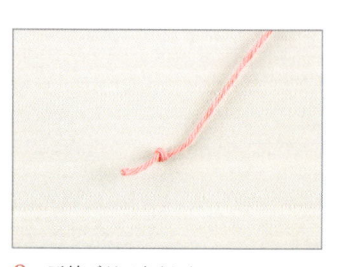

3　玉結びができました。

刺し方の基本

あまり難しく考える必要はなく、何よりも自分でいちばん刺しやすい針を使うことと、針を持つことに慣れることが大切です。刺すときは、表側の針目を裏側よりもやや大きくし、なるべく同じ針目で揃えて刺すと仕上がりがきれいです。

運針の仕方

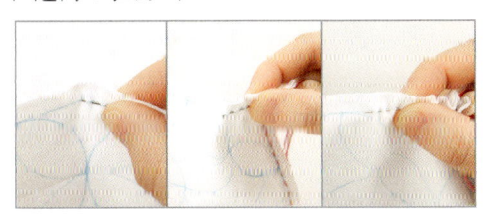

1 刺し始めの2～3針を縫ったら、針の頭を指ぬきにしっかりと当て、親指と人さし指で布をはさむように針先を持ちます。左手で布を上下に動かし、針は表裏へなるべく直角に出すようにして、針目を揃えてまっすぐに縫います。

2 10～15cm先の左手の親指の際まで縫ったら、針を抜かずに針先を左手の親指先で持って右手の親指と人さし指できゅっと一息に強く糸こきをします。

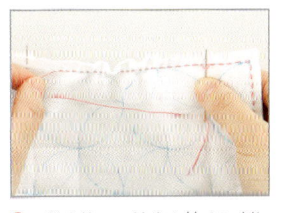

3 針を抜いて針先を始めに刺した針目に入れて糸を引き、布をしごいて糸こきをし、縫い目の小じわをよく伸ばします。この糸こきが足りないと縫い目が縮んでしまいます。

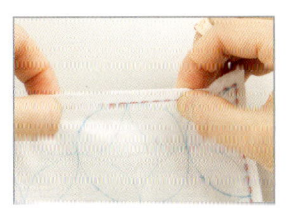

4 布目に対して縦横のラインは丁寧に糸こきをし、斜めや曲線の場合は布地を伸ばさないように力を抜いて糸こきをします。

刺し始めと刺し終わりの始末

さらしを使って端から刺し始める場合や、一目刺しの場合は、玉結びと玉どめで始末をするのが最も簡単です。

刺し始め｜玉結び

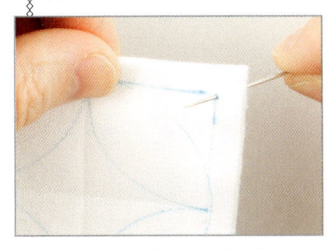

1 糸端を玉結びし（P.38参照）、2枚のさらしの間から表に針を出します。

2 玉結びを2枚のさらしの間に引き入れます。

刺し終わり｜玉どめ

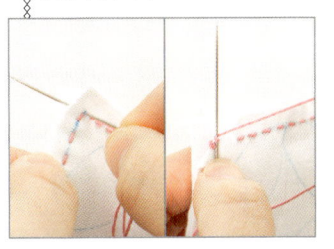

3 2枚のさらしの間に針を出して抜き、刺し終わりに針を添えて糸を1～2回巻きつけます。

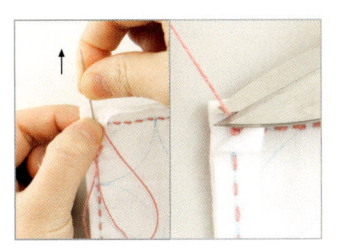

4 巻きつけたところを指で押さえて針を抜き、糸を切ります。玉どめがさらしの間に隠れます。

玉結びができない場合｜さらしの内側にあるラインを刺す

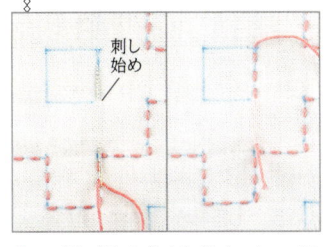

1 玉結びをせず、刺し始めの1cmくらい手前から針を入れます。2枚の布の間をくぐらせて表に出し、糸端が抜けない程度に残して刺し始めます。

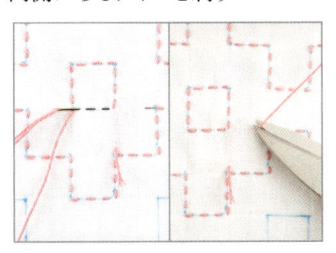

2 刺し終わりは、2枚の布の間に針をくぐらせて1cmくらい先に針を出します。縫い目がつれないように注意して糸を引き気味にし、布の際で糸を切ります。刺し始めの糸端も同様にカットします。

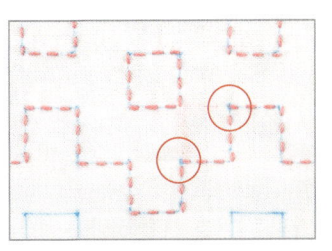

3 糸端を2枚の間に隠します。糸端が1cm以上あり、洗濯をすると布目が引き締まって糸もなじむので、糸端が出てくる心配はありません。

糸を渡して刺す場合

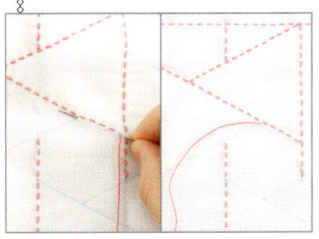

最後の1目を刺しながら、糸を切らずに2枚のさらしの間に針をくぐらせて次の刺し始めに針を出します。糸は布の間で渡って裏側に出ません。渡す糸は少し余裕を持たせ、つれないように注意しましょう。

1枚布に刺す場合の糸のつなぎ方

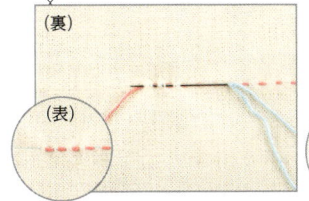

1 糸端を3cmくらい残しておき、新しい糸を3目ほど重ねて刺します。表に響かないように裏側から布目だけをすくいます。

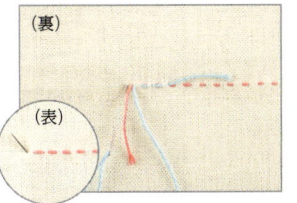

2 次の目を新しい糸で刺します。糸端は3cmくらい残しておきます。

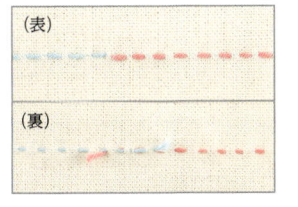

3 新しい糸で続けて刺します。糸端は、仕上げアイロンの後に0.3～0.5cmにカットします。（短かすぎると糸端が表に出てきてしまうので注意）

すでに刺してある針目に絡める方法

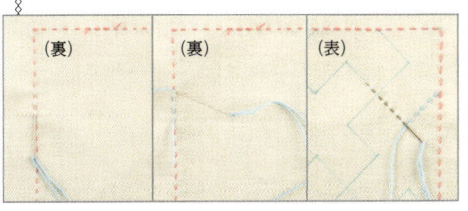

すでに刺した部分があれば、そこに糸端を重ねて刺し始めることができます。左の**1**、**2**と同じ要領で糸をつなぎ、刺し始めたい位置で表に出します。糸端は3cmくらい残しておき、仕上げアイロンの後に0.3～0.5cmにカットします。

39

美しい仕上がりのために

刺し子はもともと実用のための技術なので、あまり難しいことを考えず、楽しく刺すのがいちばんです。でも、少し慣れてきて、よりきれいに刺したいという場合のコツをご紹介します。

| 角の刺し方 |

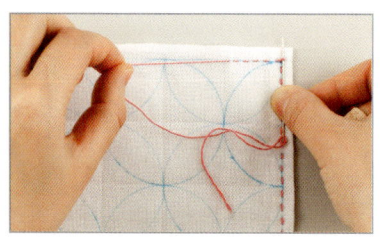

1　角の部分は糸を引きすぎてしまいがちです。糸を引く際に角に針を入れておき、針をはさんだまま糸を引き、糸こきをします。

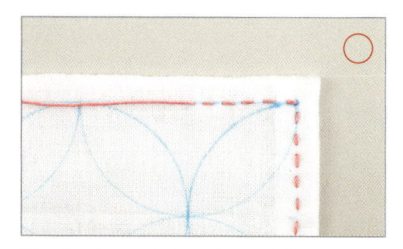

2　針の太さの分、糸を引きすぎずに、角がきれいに出せます。

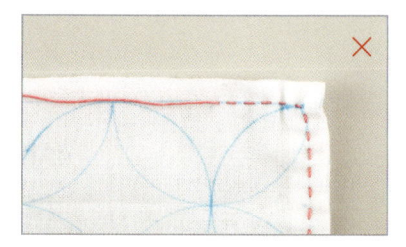

角に針を入れずに糸を引くと、糸がつれて角がきれいに出ません。

| 曲線の刺し方 |（七宝つなぎ、七宝くずし、花刺し）

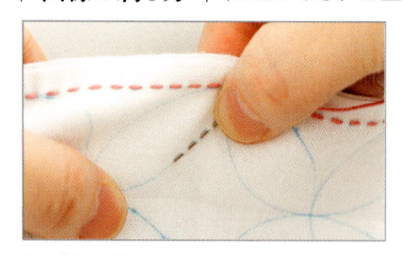

1　曲線を刺すというよりも、刺すラインがなるべく直線になるように布を動かしながら、1目1目針先をラインに乗せていきます。

2　ラインがゆまないように1つの曲線はなるべく続けてすくい、交点を越えた1~2針先まで刺すとよいでしょう。

3　針を抜き、布を伸ばさないように注意しながら糸こきをします。糸を引きすぎないように、玉どめを押さえながら糸こきをするとよいでしょう。

| 直線の刺し方、糸こきのコツ |

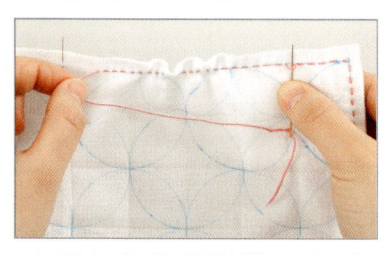

できるだけ一度に長い距離を刺したほうが歪みがなくきれいに仕上がりますが、あまり長く刺しすぎても糸がつれやすくなります。また、角は特につれやすいので、角から数針刺してから直線を長く刺すようにしましょう。

| まち針を使う |

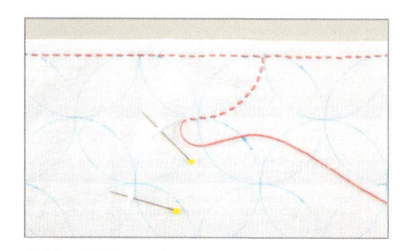

曲線や斜線の図案は、布を伸ばさないように注意して糸こきをして刺します。ラインに沿ってまち針を打っておくと、布がずれないだけでなく、伸びの予防にもなります。刺しにくい場合は、全体に粗く十字にしつけをかけて刺すとよいでしょう。

| 中央から刺し始める |

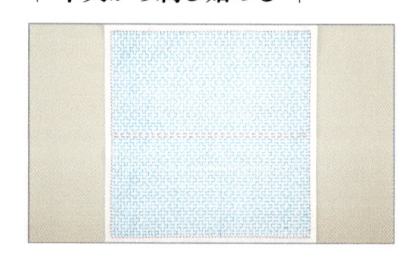

片側から刺すと布が偏ってしまうことがあるので、まわりを刺した後は中央に近いところから刺していきます。刺し始めの糸の引き加減に合わせて刺し進めることができるので、布の歪みが少なく、刺し上がりがきれいです。

| きれいに見えるポイント |
糸と糸が接するところをきれいに仕上げると、ぐっと美しく見え、完成度が上がります。

角の出し方
二辺どちらかの針目が角に来るようにするときれいに見えます。

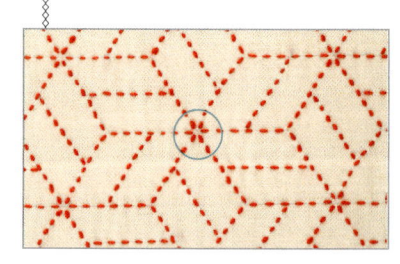

交点の刺し方
たくさんのラインが交差する交点は、中心が交わらないように刺します。交点の中心に小さな丸を下描きしておくと、針目が揃いやすくなります。

模様の描き方と刺し方のポイント

白丸数字が刺す順番、矢印が刺す方向です。黒丸数字は製図の順番を表しています。

角十つなぎ > p.4

階段状の横線を刺してから、中の四角を刺す。角が多く、数針ですぐに角になるので、針目を揃えて角が直角になるように刺す。一辺の目数を決めて刺すときれいに仕上がる。

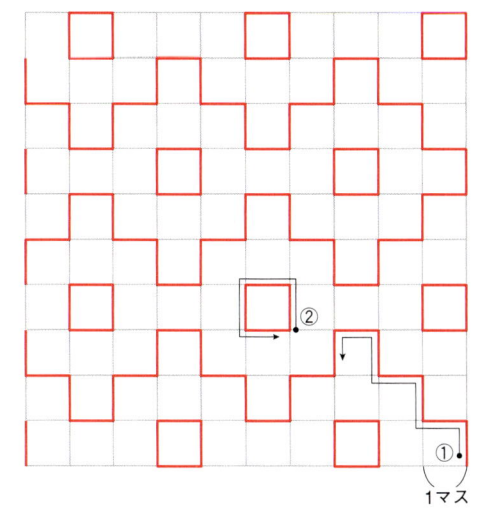

格子つなぎ > p.5

四角形を縦横の二本線と斜線でつないだ模様。縦・横のラインを刺し、四角形と斜線を続けて刺す。

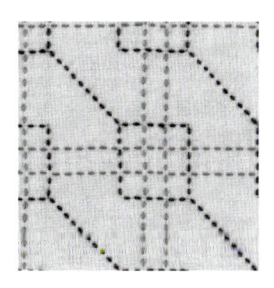

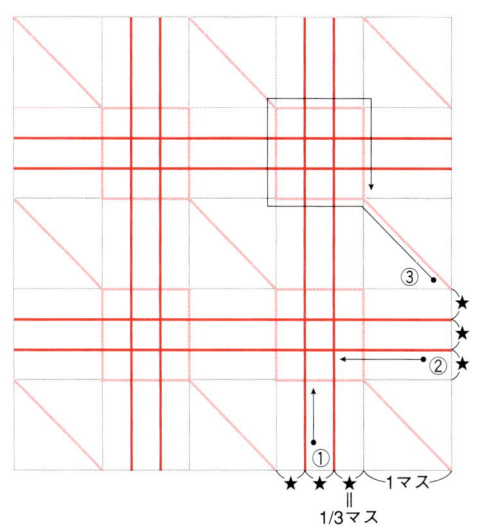

斜め十字つなぎ > p.6

方眼の案内線を引き、対角線で模様を描く。斜めの階段状に続けて刺す。

花格子 > p.7

正方形の斜め格子を刺し、交点のまわりに1目ずつ十文字に刺す。
斜線を刺すときは、布を伸ばさないように注意。

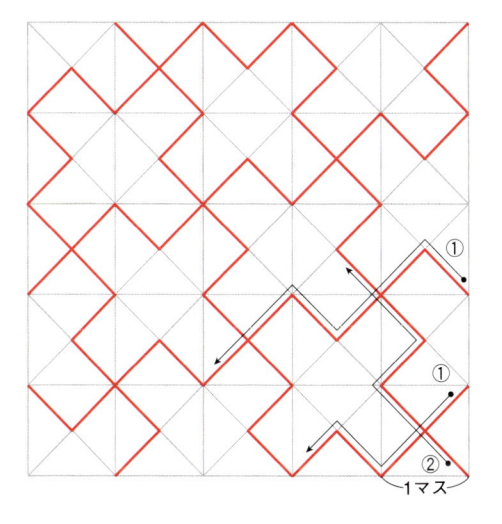

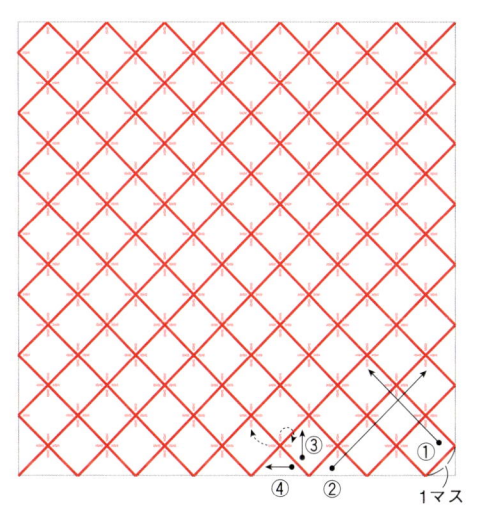

矢羽根 > p.8

1:2の長方形に、対角線を交互に描く。縦のラインを刺してから、ジグザグのラインを刺す。

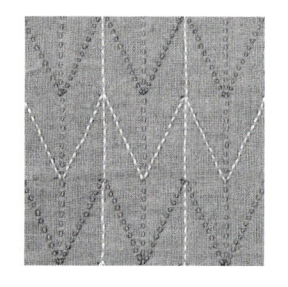

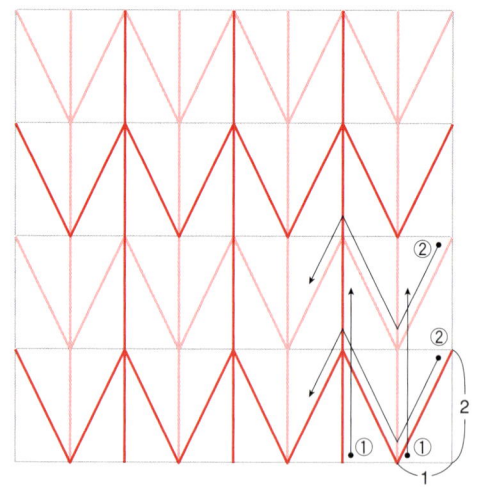

檜垣 > p.9

方眼の案内線を引き、対角線を引く。斜めに2マス分の長さのラインを描き、½マス分戻って直角方向に斜めに2マス分の長さのラインを描く。右上、左上と交互に斜めに刺す。

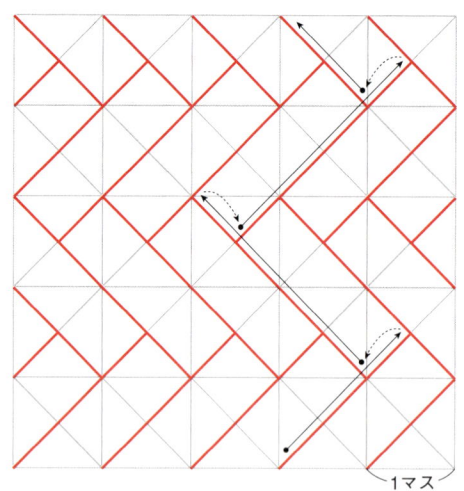

1マス

寄木 > p.10

❶ 2:1の横長の長方形を描き、交互に対角線を引く。❷ 縦3マス分の長方形に交互に対角線を引く。❸ 横と斜めのラインを描き、それぞれの菱形を2分割するラインを描く。刺すときは、交点が多くあるので糸が重ならないように刺す。

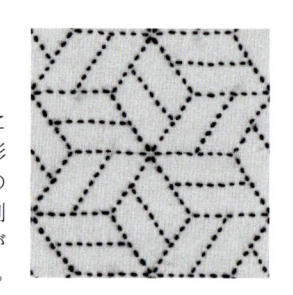

もみじ > p.11

方眼の案内線を描き、3マスごとの交点に十字と卍を交互に描く。十字と卍の端を斜めのラインでつなぐ。

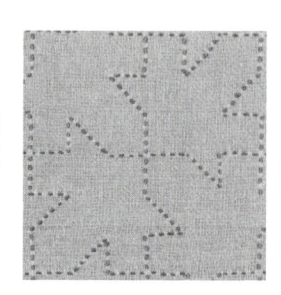

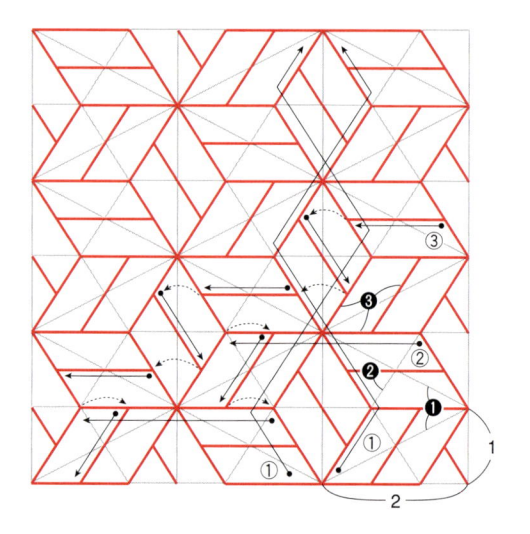

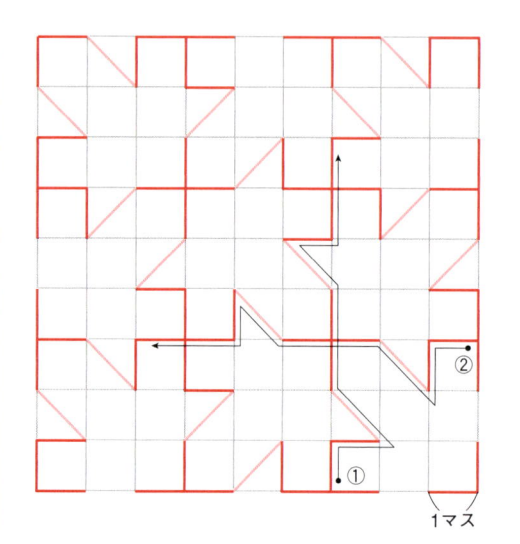

1マス

変わり麻形文 > p.12

❶ 方眼の案内線を引き、3マスごとの交点に対角線を描く。
❷ ❶のラインの端同士を斜めにつなぐラインを描く。
❸ ❷の交点を通る対角線を描く。

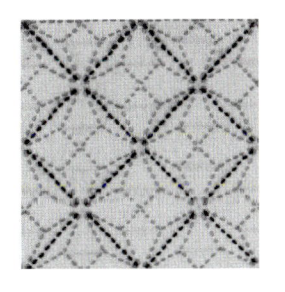

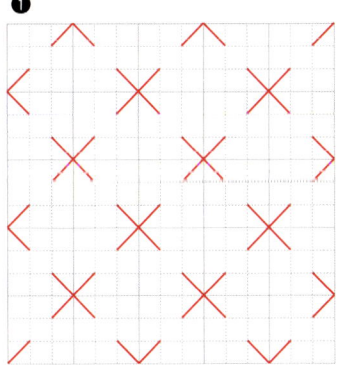

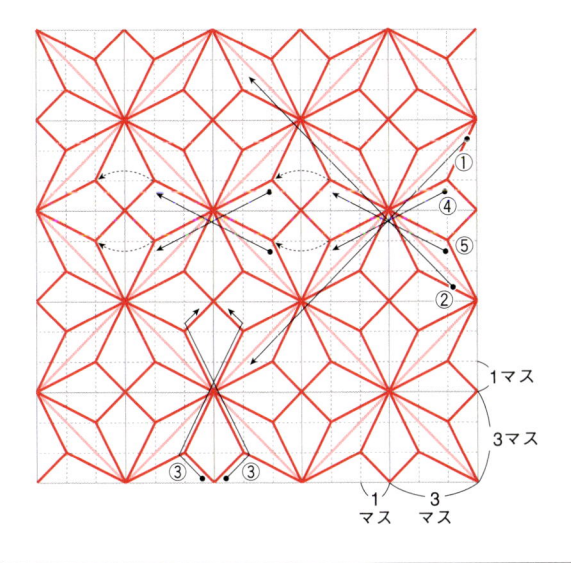

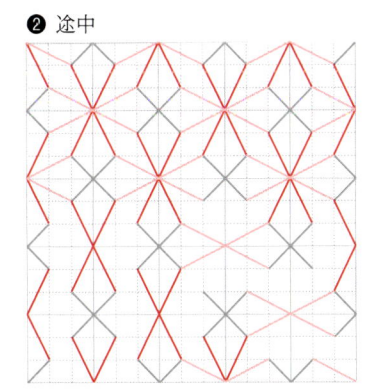

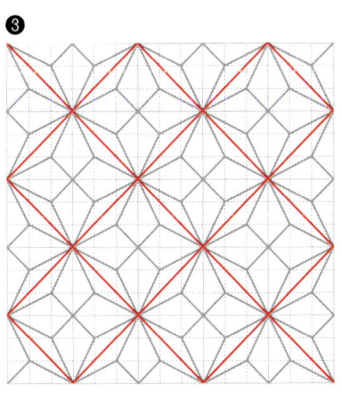

変わり山路 > p.13

❶ 1マス分のラインを縦横交互に描く。
❷ ❶のラインの左右または上下に1マス分のラインを描く。
❸ ❶のラインの端同士を斜めのラインで結ぶ。

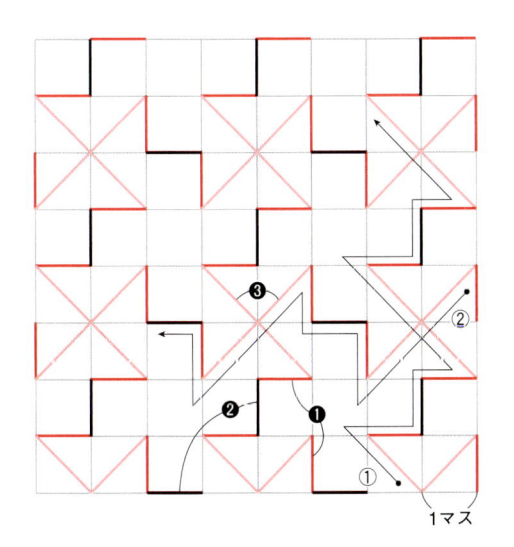

花角七宝つなぎ > p.14

❶ 大きな方眼線とその対角線を交互に引き、交点を少しあけてラインを描く。
❷ 対角線をはさんで両側に山型のラインを描く。
❸ 対角線のラインの両端に❷と平行のラインを描く。

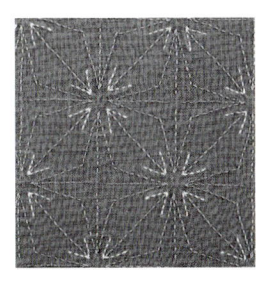

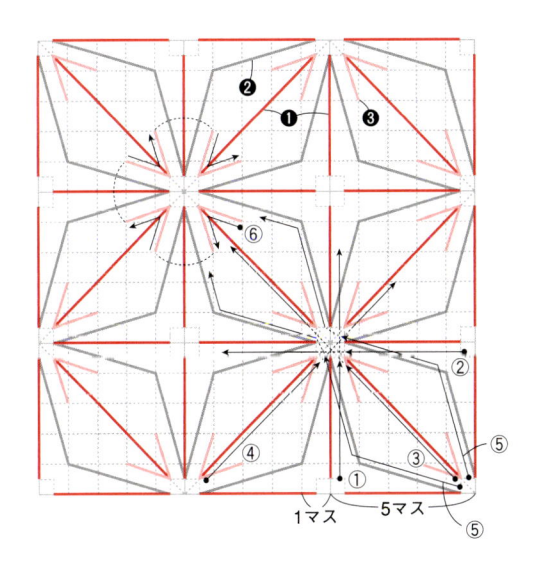

結び亀甲 > p.15

方眼線を引き、横2マス分の長方形の対角線を引く。縦4マスのラインを2マスあけて描く。1マス分ずらして左上に斜めのラインを描き、そこから1マス分ずらして右上に斜めのラインを描く。刺すときはさらしの間に糸を渡しながら刺す。

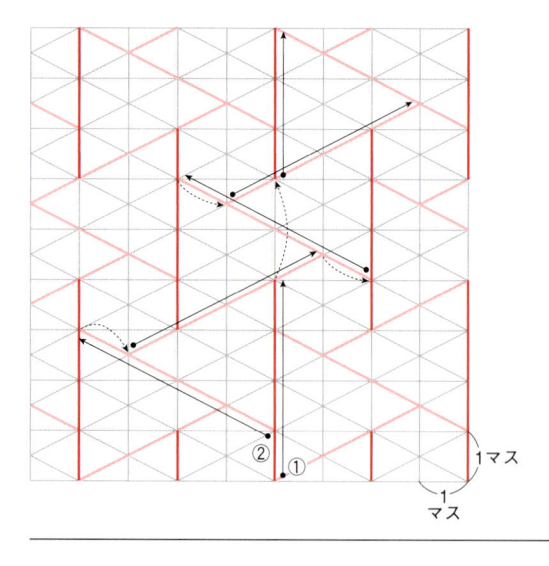

角亀甲 > p.16

正三角形を製図して六角形（亀甲）を描き、交点から2目突き出すように刺す。斜眼紙があると製図しやすい。60度の角度線が入っているサークルプレートを使っても製図可能。

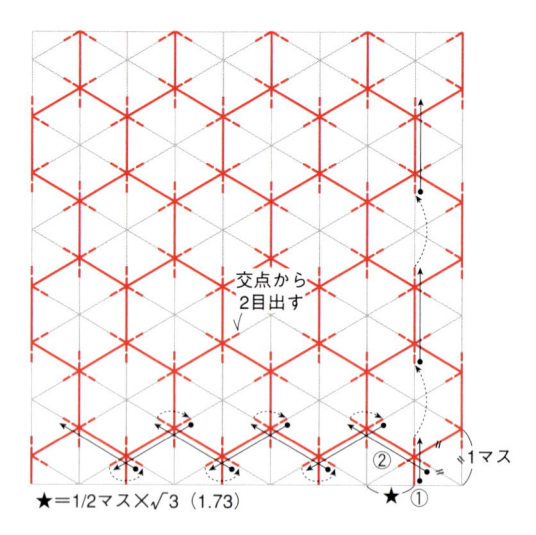

交点から2目出す

★＝1/2マス×√3（1.73）

霰亀甲 > p.17

方眼線を引き、横2マス分の長方形の対角線を引く。
❶ 縦4マスのラインを2マスあけて描き、左右両側に1マス分の縦線を描く。
❷ 短い縦線の端を結ぶように、斜めのラインを長い縦線と交差させて描く。
❸ 短い斜めのラインで亀甲を描く。

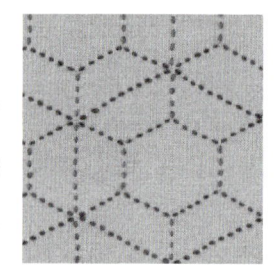

変わり毘沙門亀甲 > p.18

❶ 斜眼紙を使って縦2マスの線を2マス間隔で描き、斜めのラインでつなぐ。
❷ ❶のラインの上に山型のラインを描く。
❸ 2マスの中央に縦と斜めのラインを描く。

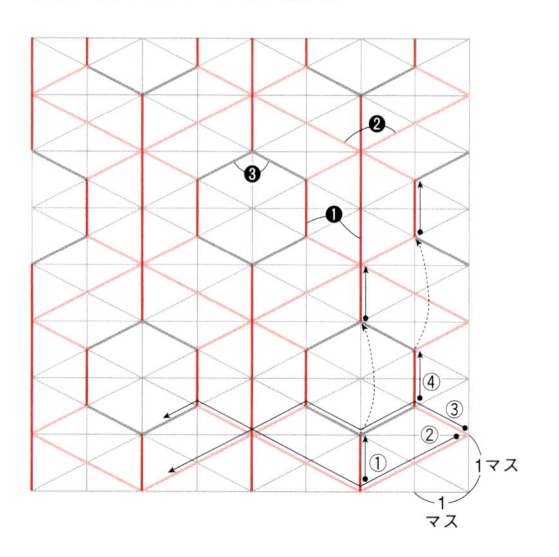

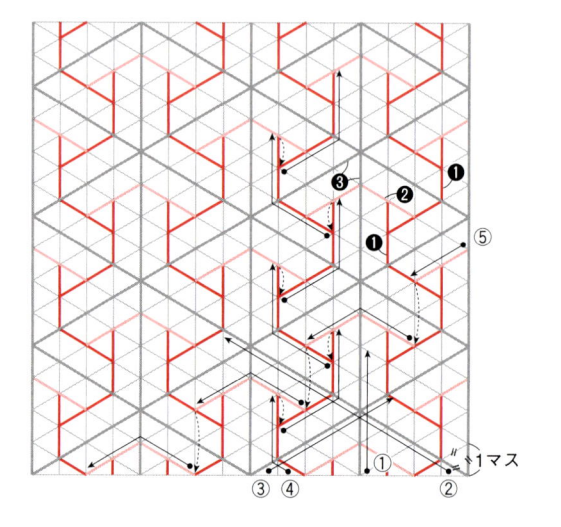

籠目 (かごめ) > p.19

正三角形を製図して横、斜めに交差するラインを描く。斜眼紙があると製図しやすい。

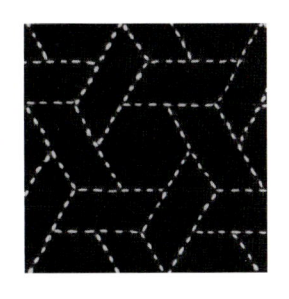

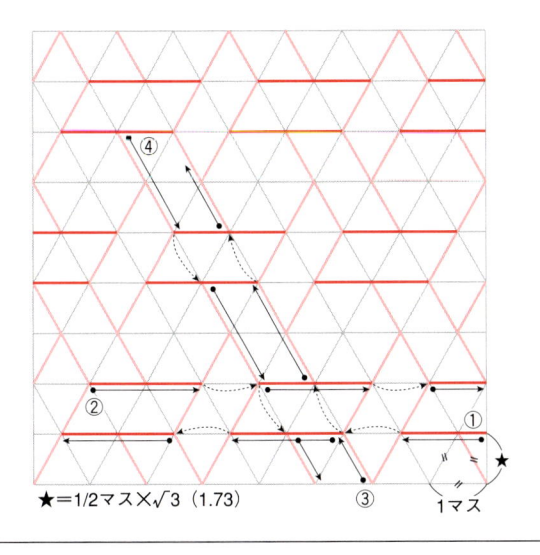

★=1/2マス×√3 (1.73)

六角花文 (ろっかくかもん) > p.20

斜眼紙を使って製図する。製図の仕方は49ページ。
模様の中央に針目が集まっているので、1目の大きさを決めて刺すとよい。

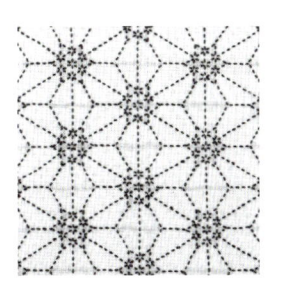

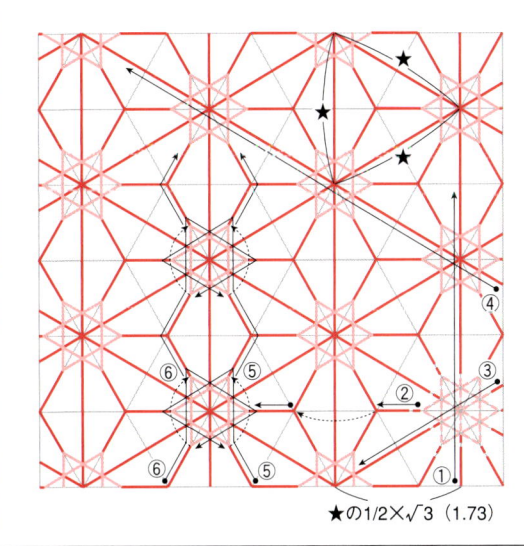

★の1/2×√3 (1.73)

六つ手つなぎ (むつで) > p.21

斜眼紙を使って製図する。
❶ 縦6マス分のラインを、1マスあけて2マス分ずつずらしながら描く。
❷ ❶の縦線の中央で交差するように、6マス分の長さの斜めのラインを描く。
❸ ラインの端を結ぶ線を描く。

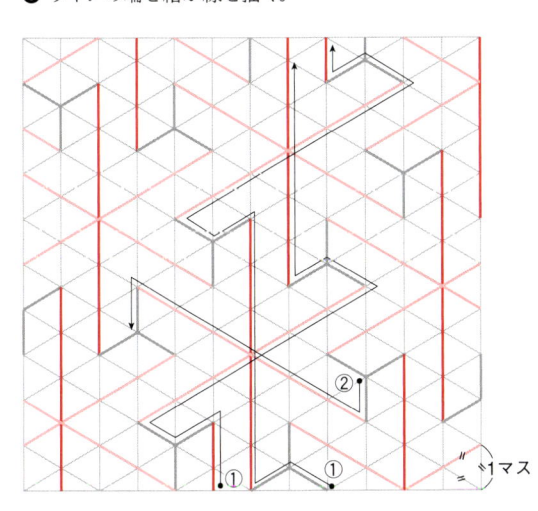

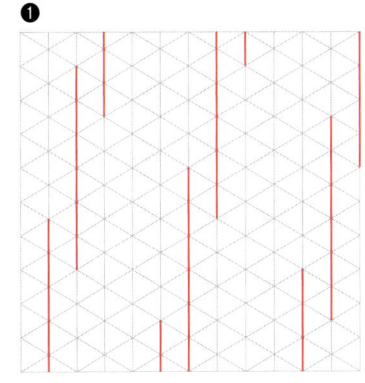

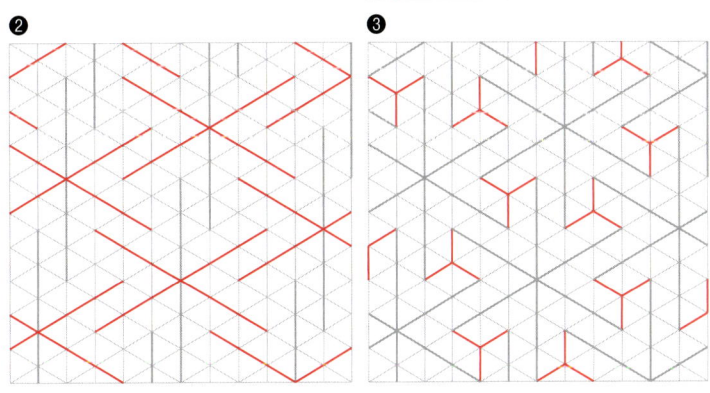

変わり松皮菱 > p.22

菱形の上下に小さな菱形を重ねて松の皮に見立てた松皮菱をアレンジした模様。斜眼紙を使って製図する。製図の仕方は49ページ。すべて斜線なので、布を伸ばさないように注意して刺す。

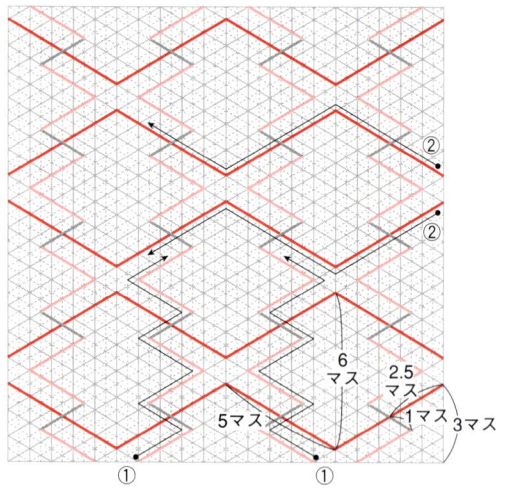

菱に丸十 > p.23

2：1の長方形を描き、対角線を交互に描く。菱形の中央に円と十字を描く。斜めのラインを伸ばさないように刺す。

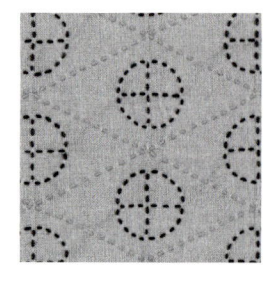

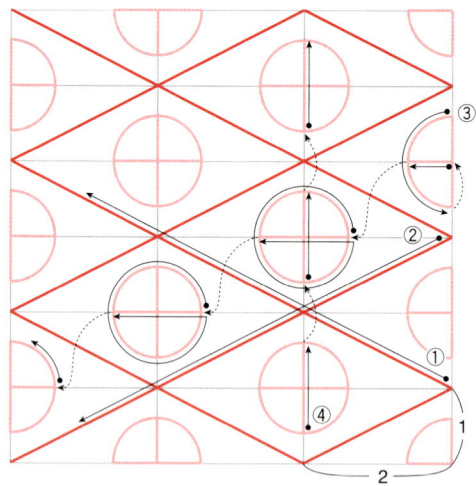

七宝つなぎ・七宝くずし > p.24,25

円を重ねて作る模様で、マス目の大きさが円の半径になる。円はサークルプレート(円定規)やコンパスを使って描く。厚紙で型紙を作ってもよい。
斜めに波形に刺す。七宝くずしは、図案の一部を使って刺す。

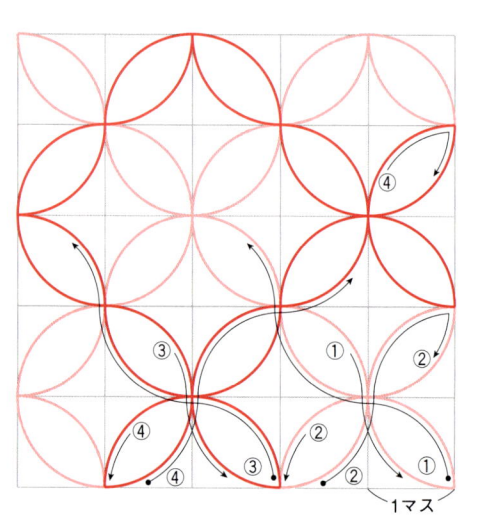

花刺し > p.26

七宝つなぎに格子をプラスした模様で、マス目の対角線の長さが円の直径になる。サークルプレートには十字のラインが入っているので、それをマス目の対角線に合せるとよい。格子を刺してから七宝つなぎと同様に刺す。

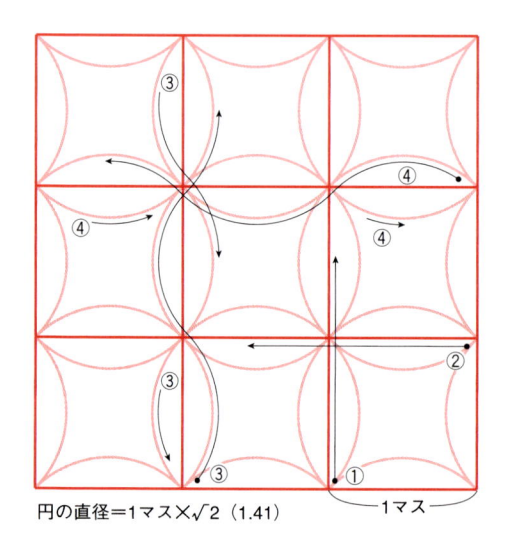

円の直径＝1マス×√2 (1.41)

千鳥つなぎ > p.27

大きな正三角形の案内線を引き、一辺の半分より1cmくらい大きな円のカーブを使ってラインを描く。

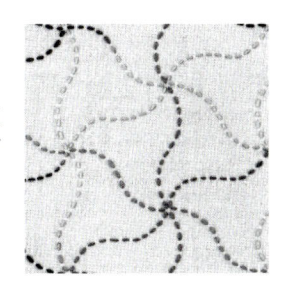

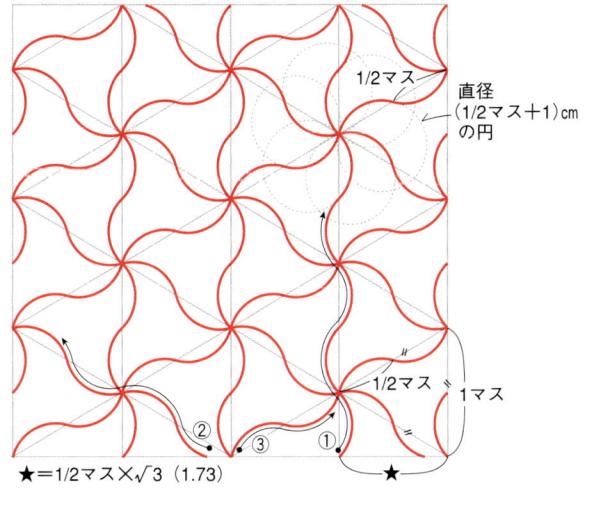

★＝1/2マス×√3（1.73）

青海波 > p.28

円弧で波を描き出した模様。長方形のマスを描き、楕円のカーブをバランスよく描いて型紙を作って製図する。
大・中・小の波ごとに刺す。

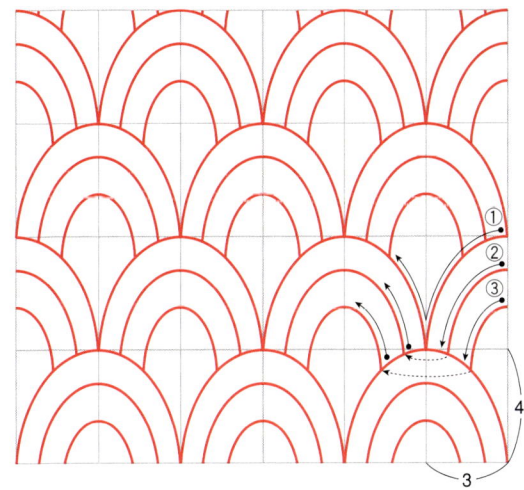

野分 > p.29

半円の内側にすすきの穂のラインを2本描く。半円の型紙をずらしながら製図するとよい。内側のすすきから刺し始め、矢印のように往復しながら一模様ずつ仕上げて次に移る。

花十字（柿の花）> p.30,31

針目の出し方によってさまざまなバリエーションがある模様。
マス目の大きさが1目の大きさになる。
（0.5cmの針目で刺すことが多い）
横、縦の順に、1目ずつ規則的に刺す。
裏側には違う模様が現れる。

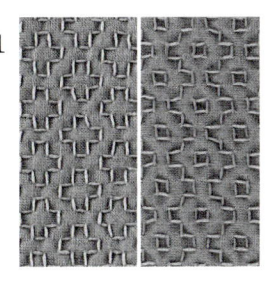

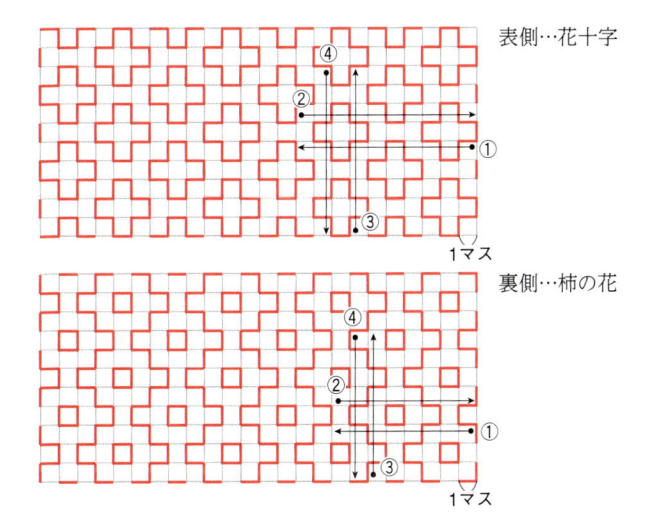

表側…花十字

裏側…柿の花

変わり米刺し > p.32

漢字の「米」の字をかたどった模様。マス目の大きさで1目の長さが決まる。縦、横に1目ずつ刺し、斜めに刺す。縦・横のラインは糸を交差させ、斜めのラインは交差させずに刺す。

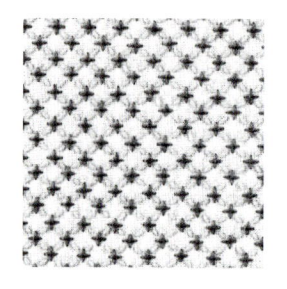

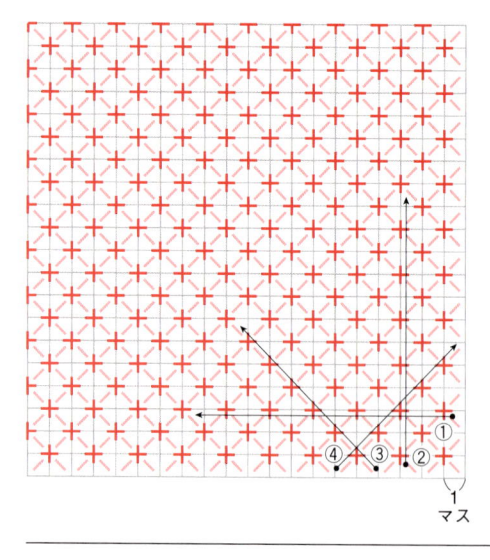

井桁に八角つなぎ > p.33

小さな井の字を配置して、間を斜めにつないだ模様。井の字に印をつけておくとわかりやすい。
縦、横に1目ずつ刺し、斜めに刺す。針目が2マス続くところは、交点を少しあけて布を裏側まですくって刺す。

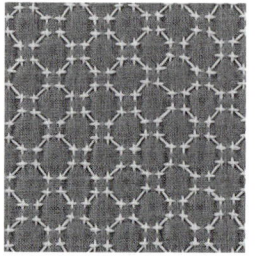

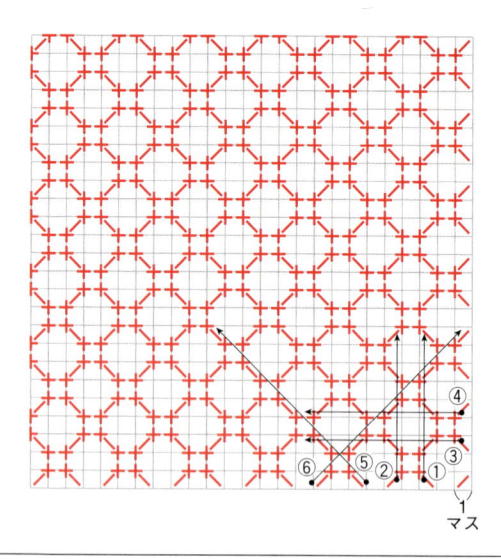

一目井筒つなぎ > p.34

大きな井の字を斜めに配置した模様。布に模様を描いてから刺した方がわかりやすい。
縦、横に1目ずつ刺す。針目が2マス続くところは、交点を少しあけて布を裏側まですくって刺す。裏側で糸を長く渡して交差させる。

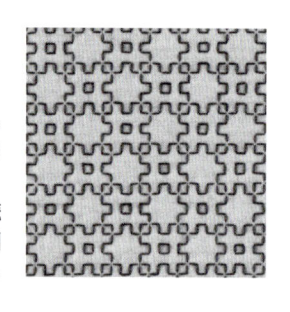

一目格子 > p.35

一目刺しの基本ともいえる模様。シンプルな分、粗が出やすいので、1目の大きさに注意しながら刺す。
1マスが小さすぎても大きすぎても刺しにくい。1マス0.7cmで、1目を0.5cmで刺すのがおすすめ。目と目の間は布を裏側まですくって刺す。

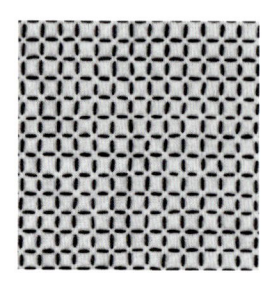

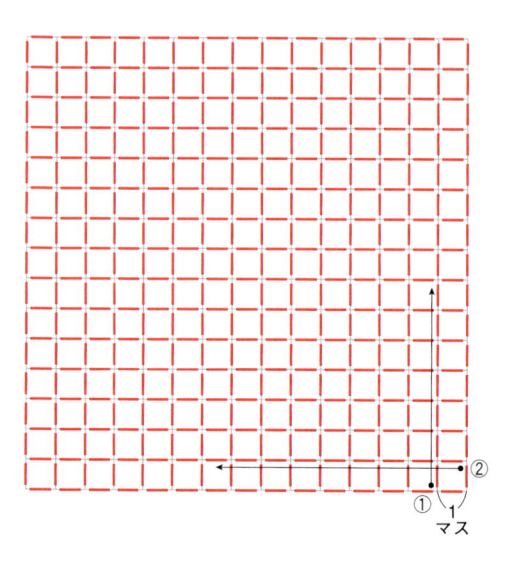

[六角花文の製図の仕方]

斜眼紙を使って製図する。
❶ 斜眼紙を使って大きな正三角形を描き、大きな正三角形を2分割する案内線を三方向に引く。大きな三角形の交点のまわりに点を打つ。
❷ 点を結び、小さな三角形を重ねて星を描く。
❸ 星の先端を結ぶようにラインを描く。

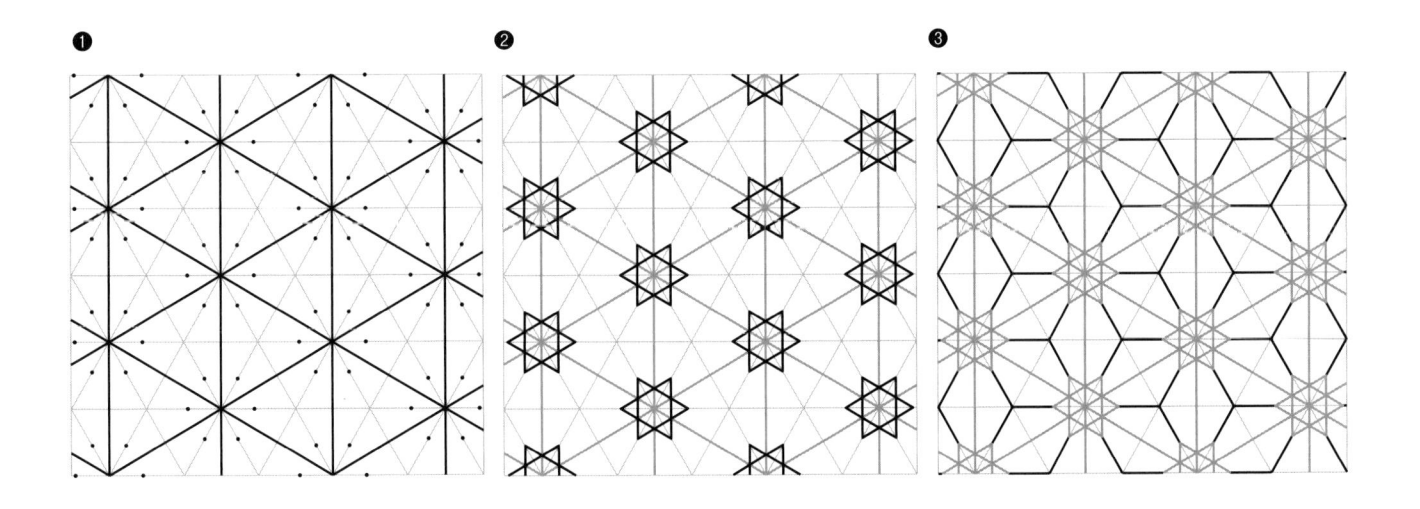

❶　　　　　　　　　　❷　　　　　　　　　　❸

[変わり松皮菱の製図の仕方]

❶ 大きな菱形を連ねて描く。
❷ 一辺を2等分するラインを描き、菱形の先端にあたるところに点を打つ。
❸ ラインの端と点を結ぶ。

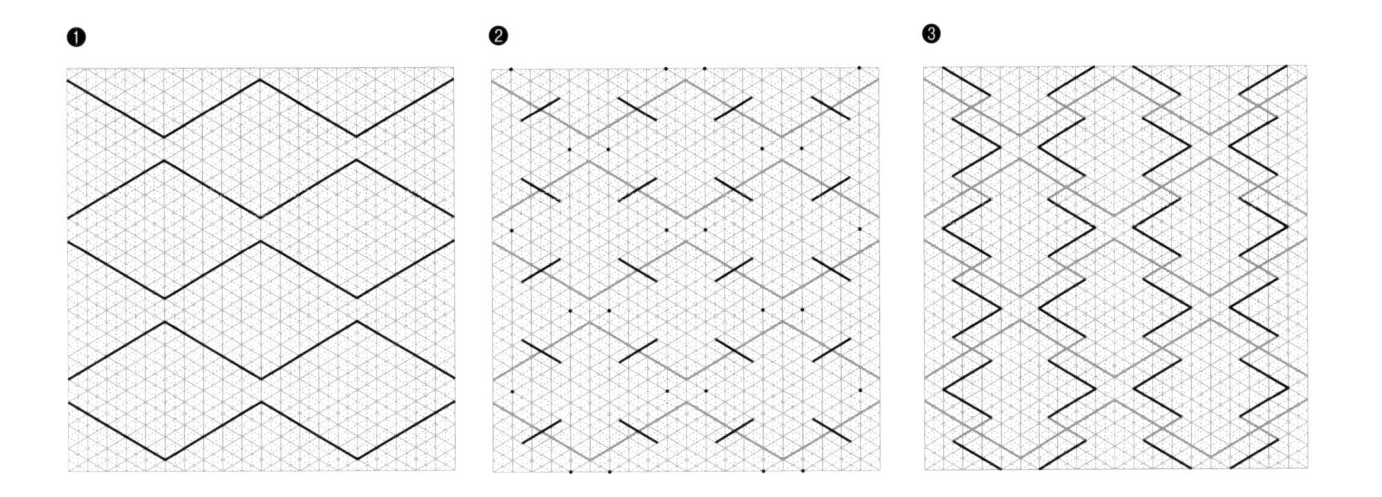

❶　　　　　　　　　　❷　　　　　　　　　　❸

ふきんを刺すときの注意・仕立て方

+ 布にはスチームアイロンをかけてから使います。
+ 下の図を参照して布の準備をします。
+ 図案は、布に直接製図をするのが最も簡単です。(37ページ参照) それぞれの図案の製図の仕方は41ページからを参考にしてください。
  直接製図をするのが難しい場合は、51ページからの実物大図案をご利用ください。丸数字が刺す順番、矢印が刺す方向を表しています。
+ 布に模様をきちんと描いておくことが、きれいに仕上げる最大のコツです。
+ 図案は布と中央を合わせて配置します。刺すときも、まわりを刺した後は中央から刺していきます。
+ 1模様の目数を決めて刺すと、仕上がりがきれいです。
+ 線が続いていないところは、さらしの場合は2枚の間に針をくぐらせて糸を渡します。渡す糸は引きすぎてつれないように注意しましょう。
  渡った糸が透けて気になる場合は、その都度糸を始末するとよいでしょう。1枚布の場合は、その都度糸を始末します。(39ページ参照)
+ 刺し上がったら図案の線を消し、アイロンをかけて仕上げます。

[さらしの仕立て方]

さらしは、端を裏に折って二つ折りにアイロンをかけるだけでそのまま縫い始めることができます。
刺し子の一番始めにまわりを縫ってしまえばOKです。
ただ、刺したい図案がさらしに対して小さい場合など、折った布端が気になる場合は、縫い代を縫ってから使いましょう。

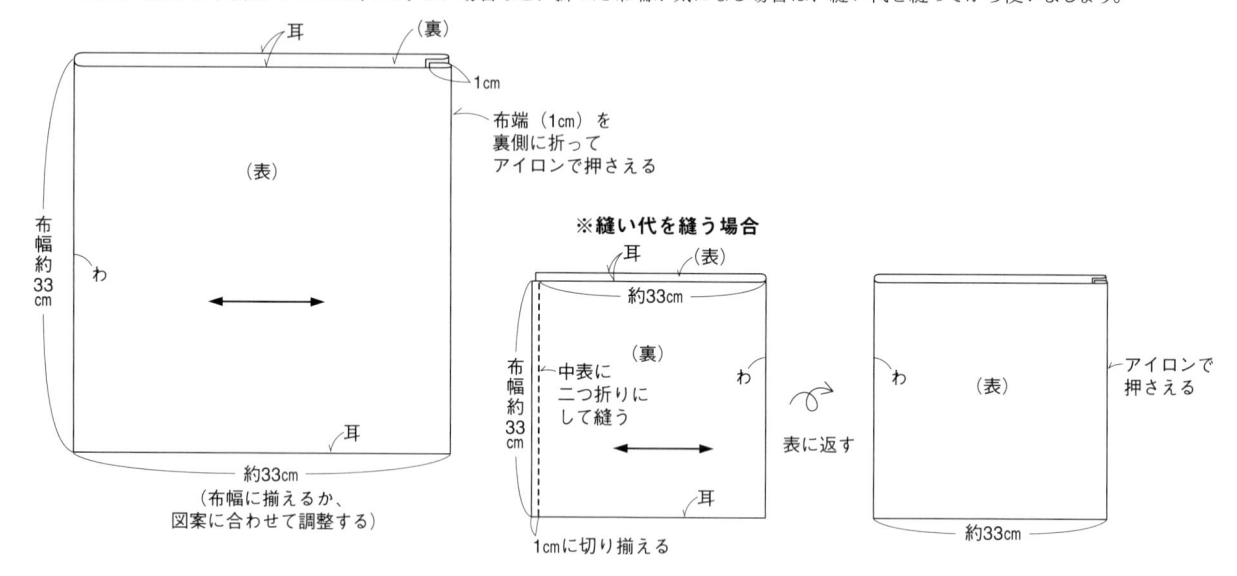

[額縁仕立ての方法]

点線のように印をつけて角を裁ち落とし、①〜⑤の順に折ってしつけをかけ、まつります。

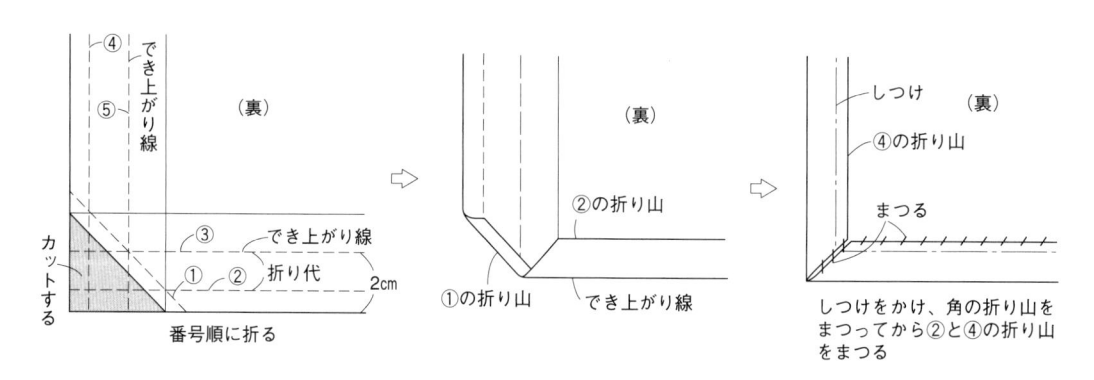

実物大図案／角十つなぎ > p.4

+ 布…オリムパスさらしもめん（H-1000）1枚
+ 糸…オリムパス刺し子糸（袋入り）　からし色（5）1束
+ 刺し子面のサイズ…32.5㎝×33㎝
+ さらしは50ページを参照して仕立て、糸は1本で刺します。

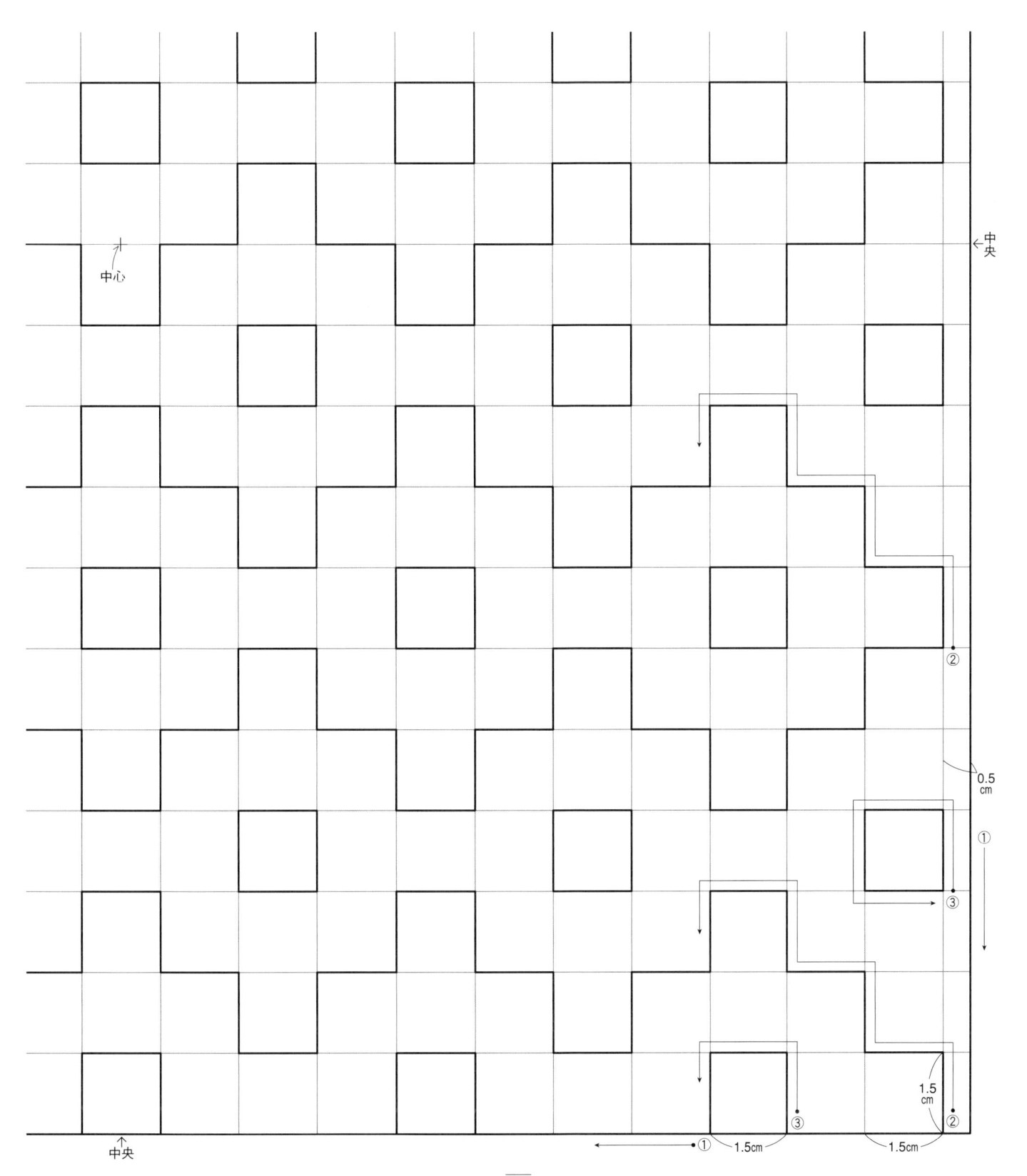

中心

←中央

0.5cm

②
①
③

1.5cm

③ ② 1.5cm

↑中央

① 1.5cm

実物大図案／格子つなぎ > p.5

+ 布…オリムパスさらしもめん（H-1000）1枚
+ 糸…オリムパス刺し子糸（袋入り）　ブルー（9）、からし色（5）各1束
+ 刺し子面のサイズ…32cm×33cm
+ さらしは50ページを参照して仕立て、糸は1本で刺します。

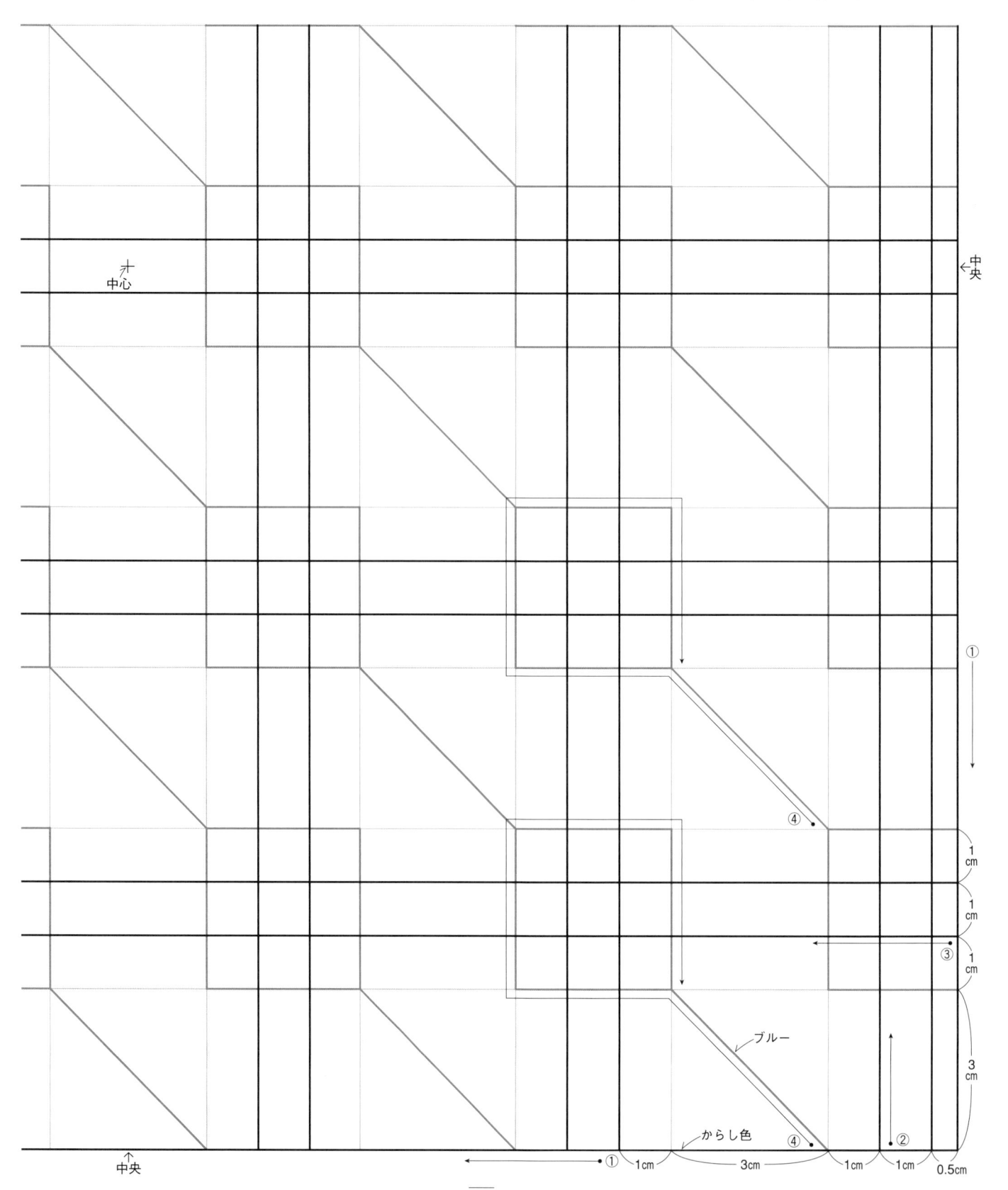

実物大図案／斜め十字つなぎ >p.6

+ 布…ベージュのリネン 38cm×38cm
+ 糸…オリムパス刺し子糸（袋入り） 赤(12) 1束
+ 刺し子面のサイズ…30cm×30cm
+ 布は50ページを参照してまわりを額縁仕立てにし、糸は1本で刺します。

実物大図案／花格子 > p.7

+ 布…オリムパスいろどり刺し子もめん（IR-1） ピンク1枚
+ 糸…オリムパス刺し子糸（袋入り） 白（1）、ピンク（13）各1束
+ 刺し子面のサイズ…32㎝×32㎝
+ さらしは50ページを参照して仕立て、糸は1本で刺します。

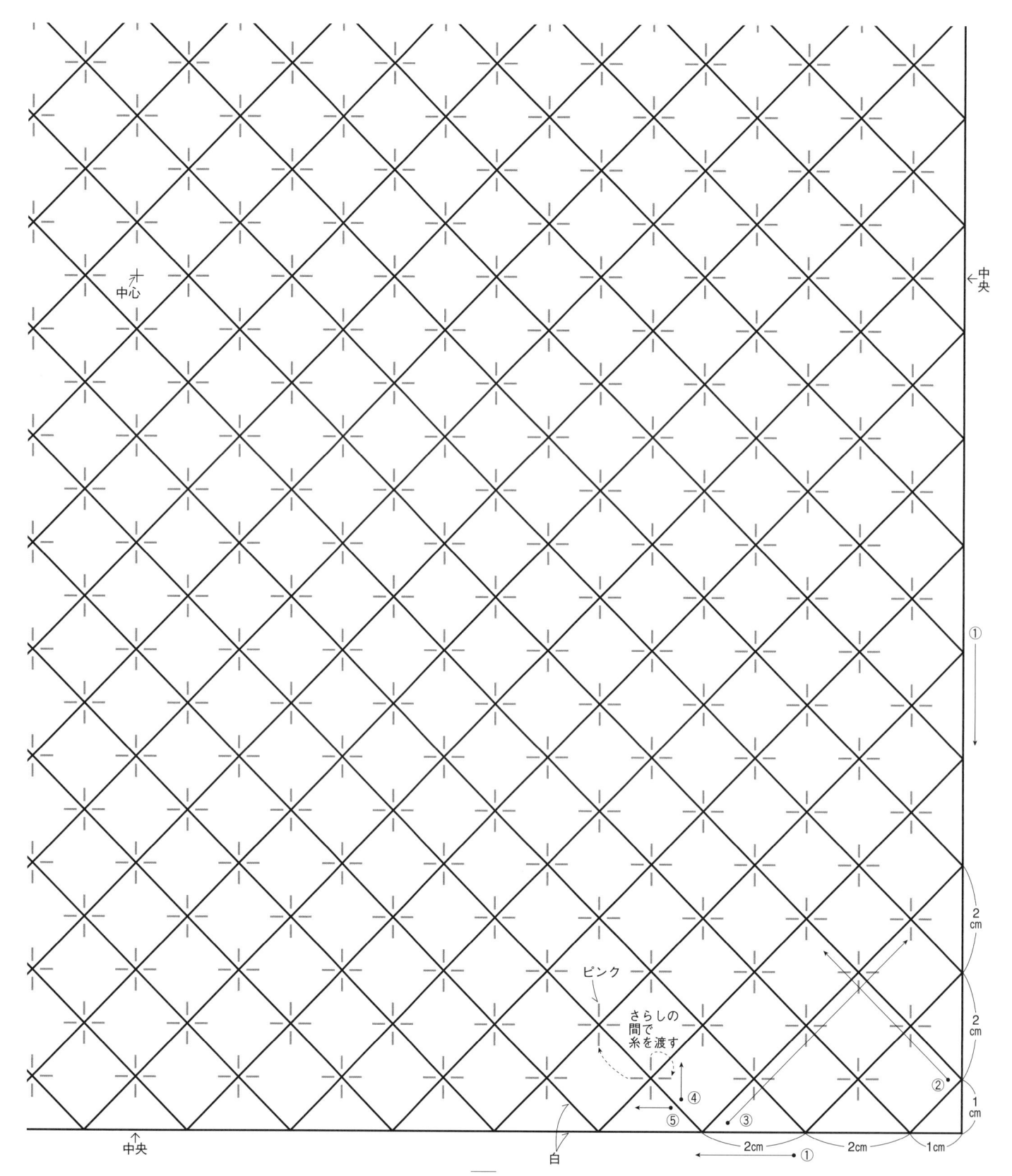

実物大図案／矢羽根 > p.8

+ 布…オリムパスいろどり刺し子もめん（IR-2）浅葱1枚
+ 糸…オリムパス刺し子糸（袋入り）　白（1）、からし色（5）各1束
+ 刺し子面のサイズ…32cm×32cm
+ さらしは50ページを参照して仕立て、糸は1本で刺します。

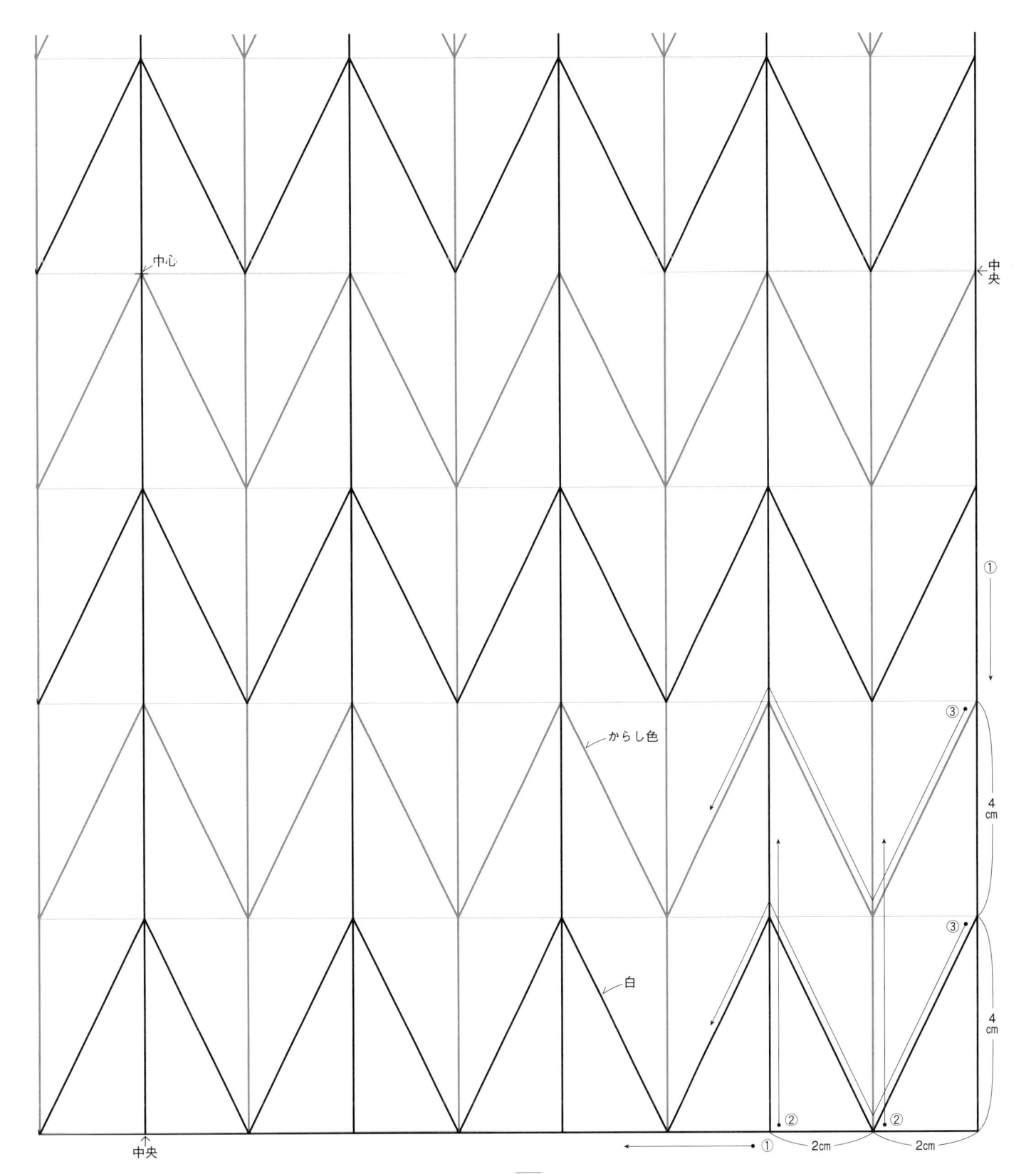

実物大図案／檜垣(ひがき) > p.9

+ 布…オリムパスいろどり刺し子もめん（IR-3）茶1枚
+ 糸…オリムパス刺し子糸（袋入り）　ピンク・紫系ミックス(73) 1束
+ 刺し子面のサイズ…32㎝×32㎝
+ さらしは50ページを参照して仕立て、糸は1本で刺します。

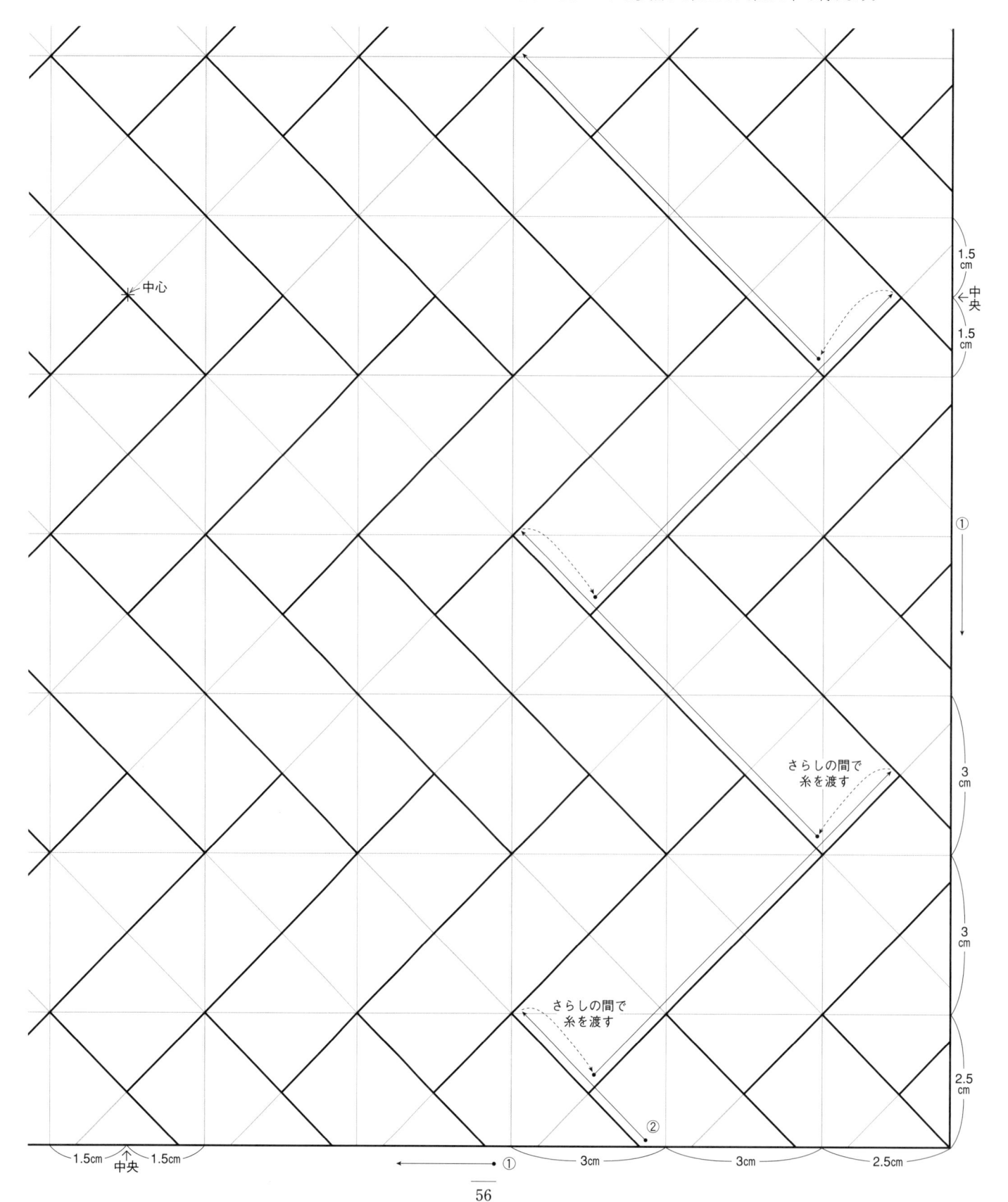

実物大図案／寄木 > p.10

+ 布…オリムパスいろどり刺し子もめん（IR-1）生成　各1枚
+ 糸…オリムパス刺し子糸（袋入り）　赤（12）または紺（11）1束
+ 刺し子面のサイズ…30cm×30cm
+ さらしは50ページを参照して仕立て、糸は1本で刺します。

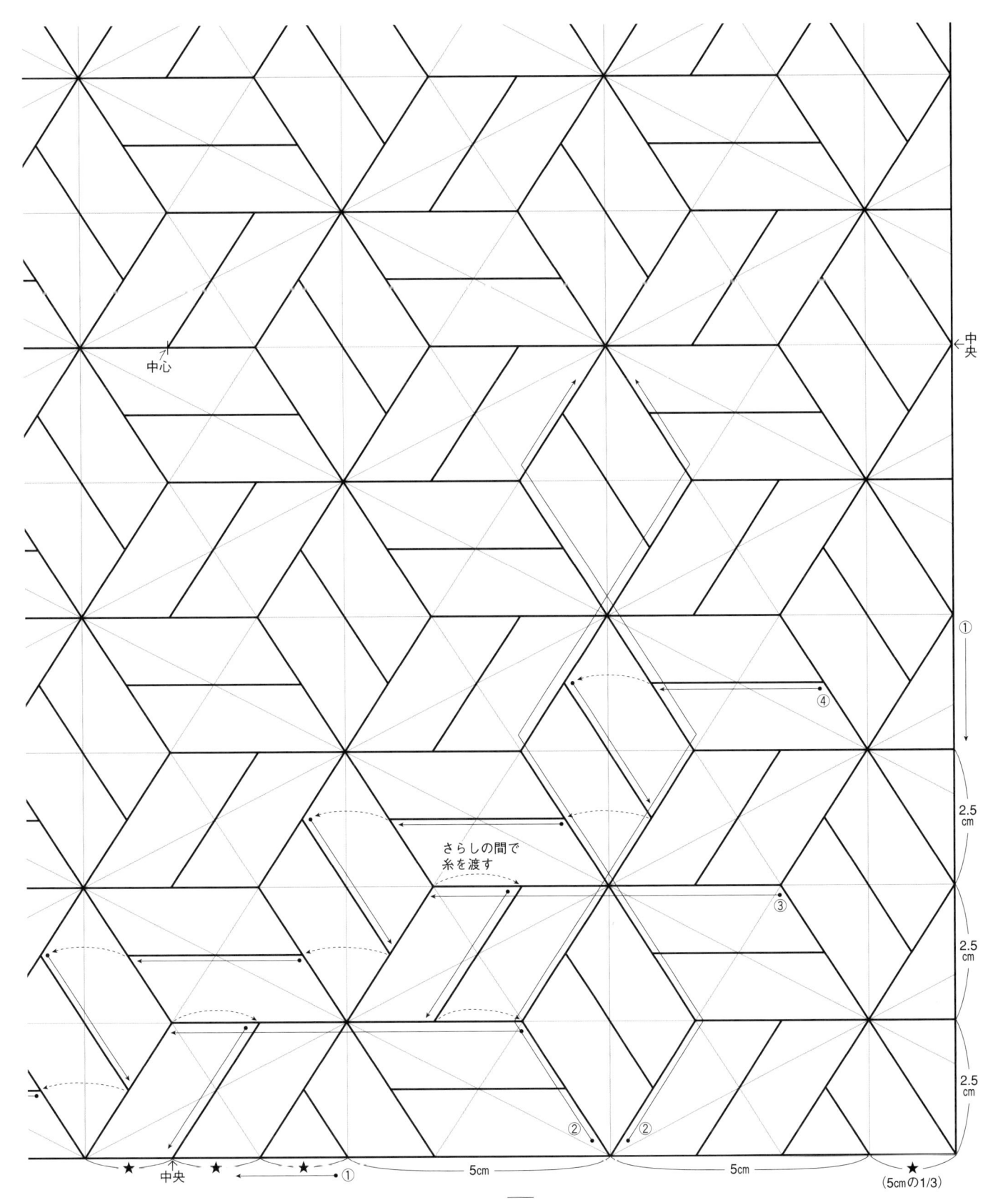

中心

←中央

さらしの間で
糸を渡す

2.5 cm
2.5 cm
2.5 cm

中央　①　5cm　5cm　（5cmの1/3）

実物大図案／もみじ > p.11

+ 布…オリムパスいろどり刺し子もめん（IR-3）からし1枚
+ 糸…オリムパス刺し子糸（袋入り）　オレンジ色（4）1束
+ 刺し子面のサイズ…32cm×32cm
+ さらしは50ページを参照して仕立て、糸は1本で刺します。

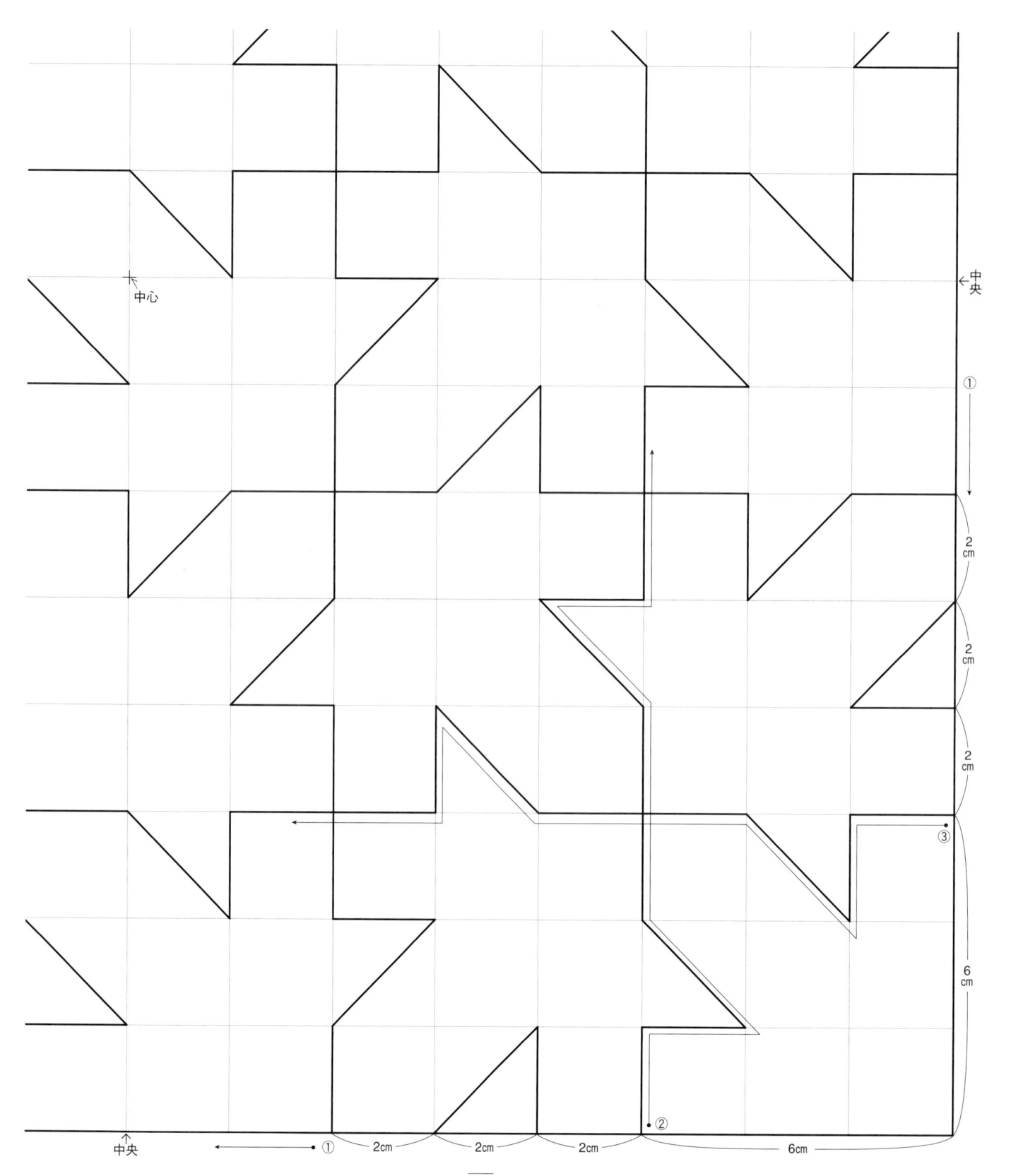

中心

中央

中央

① 2cm 2cm 2cm 6cm

② ③

2cm 2cm 2cm 6cm

実物大図案／変わり麻形文 > p.12

+ 布…オリムパスいろどり刺し子もめん（IR-1）生成1枚
+ 糸…ホビーラホビーレ 刺し子糸　赤（103）、からし色（117）各1束
+ 刺し子面のサイズ…30㎝×30㎝
+ さらしは50ページを参照して仕立て、糸は1本で刺します。

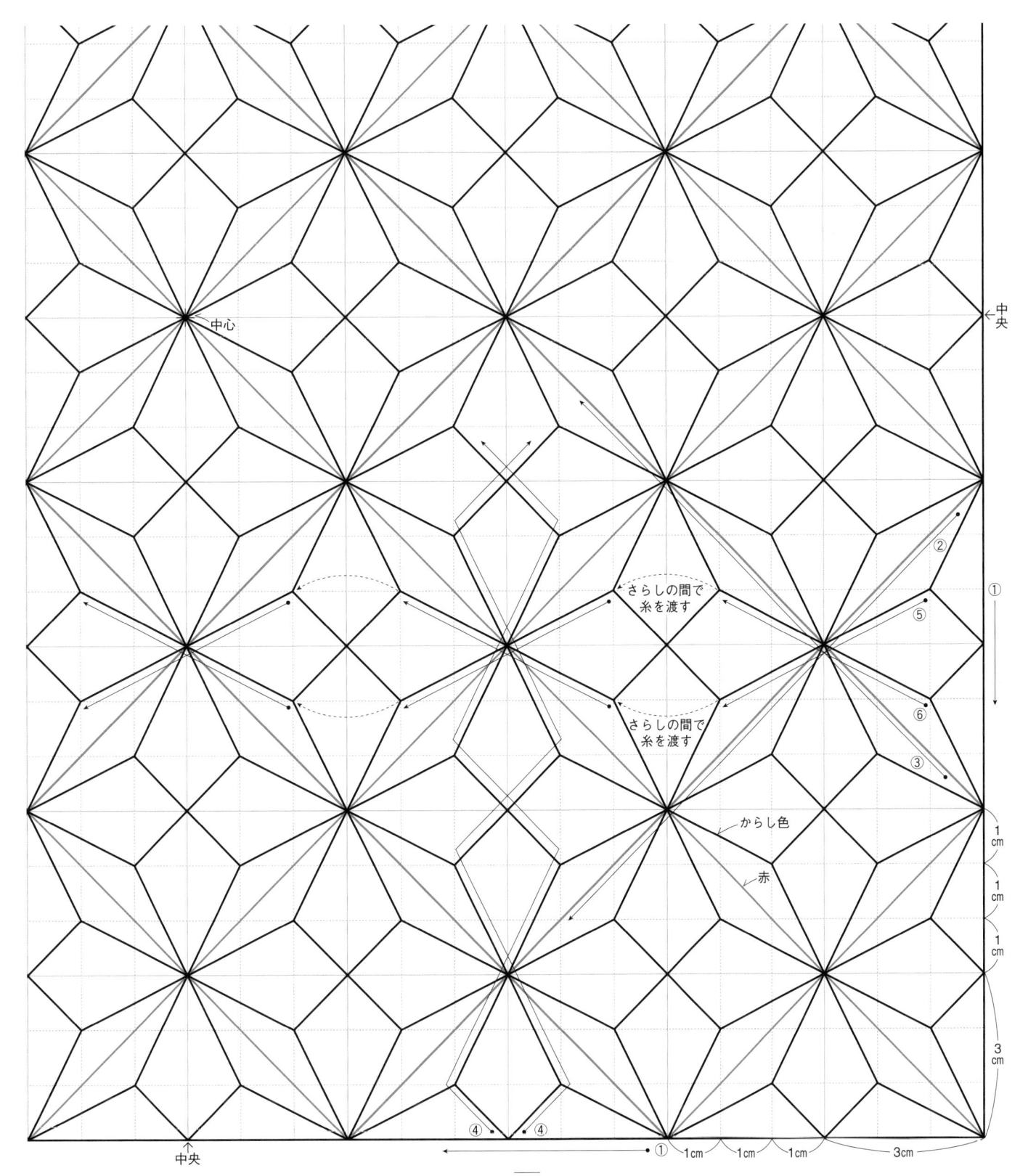

実物大図案／変わり山路 > p.13

+ 布…ホビーラホビーレ スラブコットン・ソフト　ベージュ 37㎝×37㎝
+ 糸…ホビーラホビーレ 刺し子糸　オレンジ（120）1束
+ 刺し子面のサイズ…30㎝×30㎝
+ 布は50ページを参照してまわりを額縁仕立てにし、糸は1本で刺します。

実物大図案／花角七宝つなぎ > p.14

+ 布…オリムパスいろどり刺し子もめん（IR-2）ラベンダー1枚
+ 糸…オリムパス刺し子糸（袋入り）　生成り（2）、からし色（5）各1束
+ 刺し子面のサイズ…30㎝×30㎝
+ さらしは50ページを参照して仕立て、糸は1本で刺します。

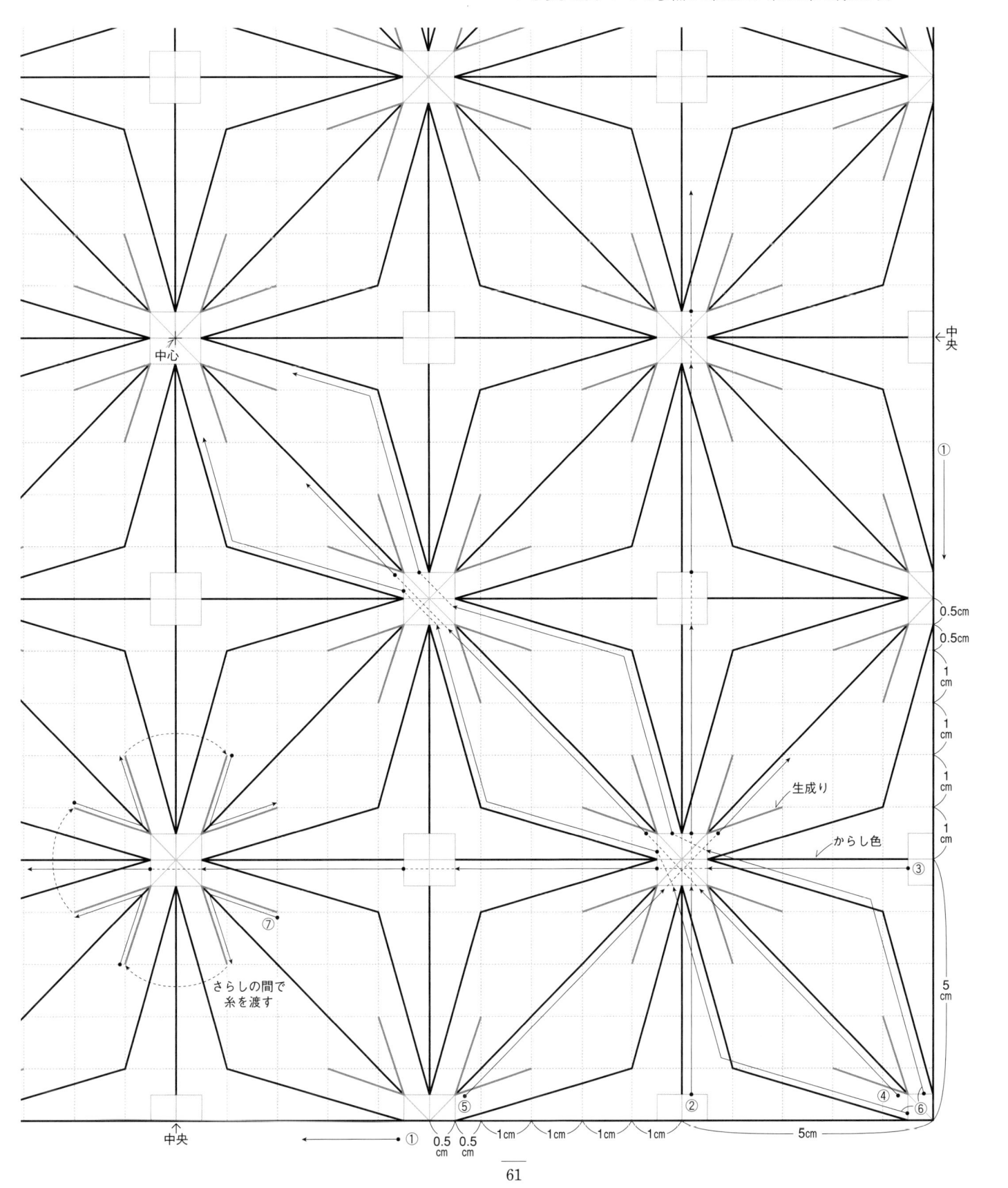

実物大図案／結び亀甲 > p.15

+ 布…オリムパスいろどり刺し子もめん（IR-3）赤1枚
+ 糸…オリムパス刺し子糸（袋入り）　水色（8）1束
+ 刺し子面のサイズ…32cm×32cm
+ さらしは50ページを参照して仕立て、糸は1本で刺します。

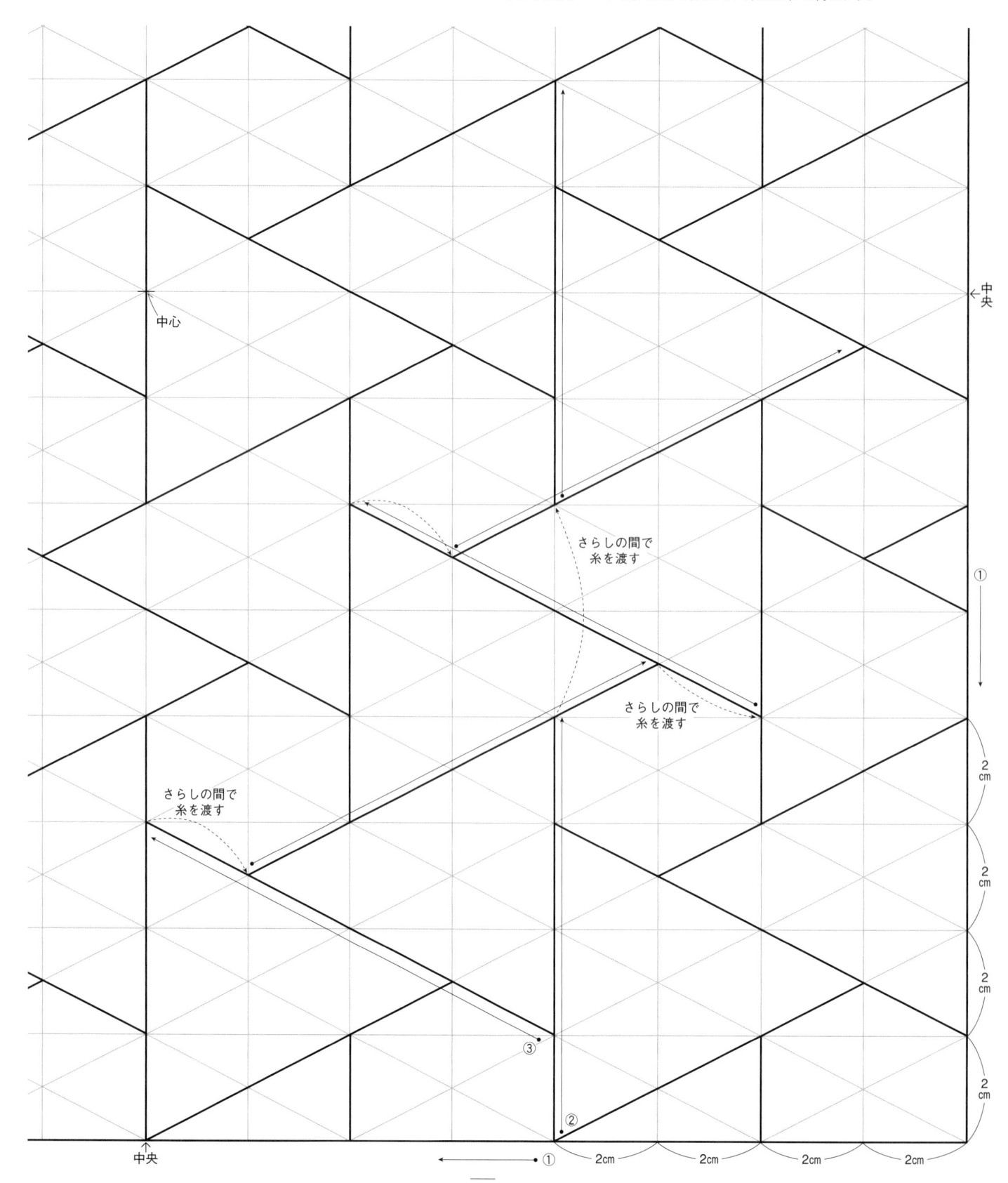

中心

中央

さらしの間で糸を渡す

さらしの間で糸を渡す

さらしの間で糸を渡す

中央

① ② ③

2cm

実物大図案／角亀甲(つのきっこう) > p.16

+ 布…オリムパスいろどり刺し子もめん（IR-2）浅葱1枚
+ 糸…オリムパス刺し子糸（袋入り）　生成り（2）1束
+ 刺し子面のサイズ…約32cm×32cm
+ さらしは50ページを参照して仕立て、糸は1本で刺します。

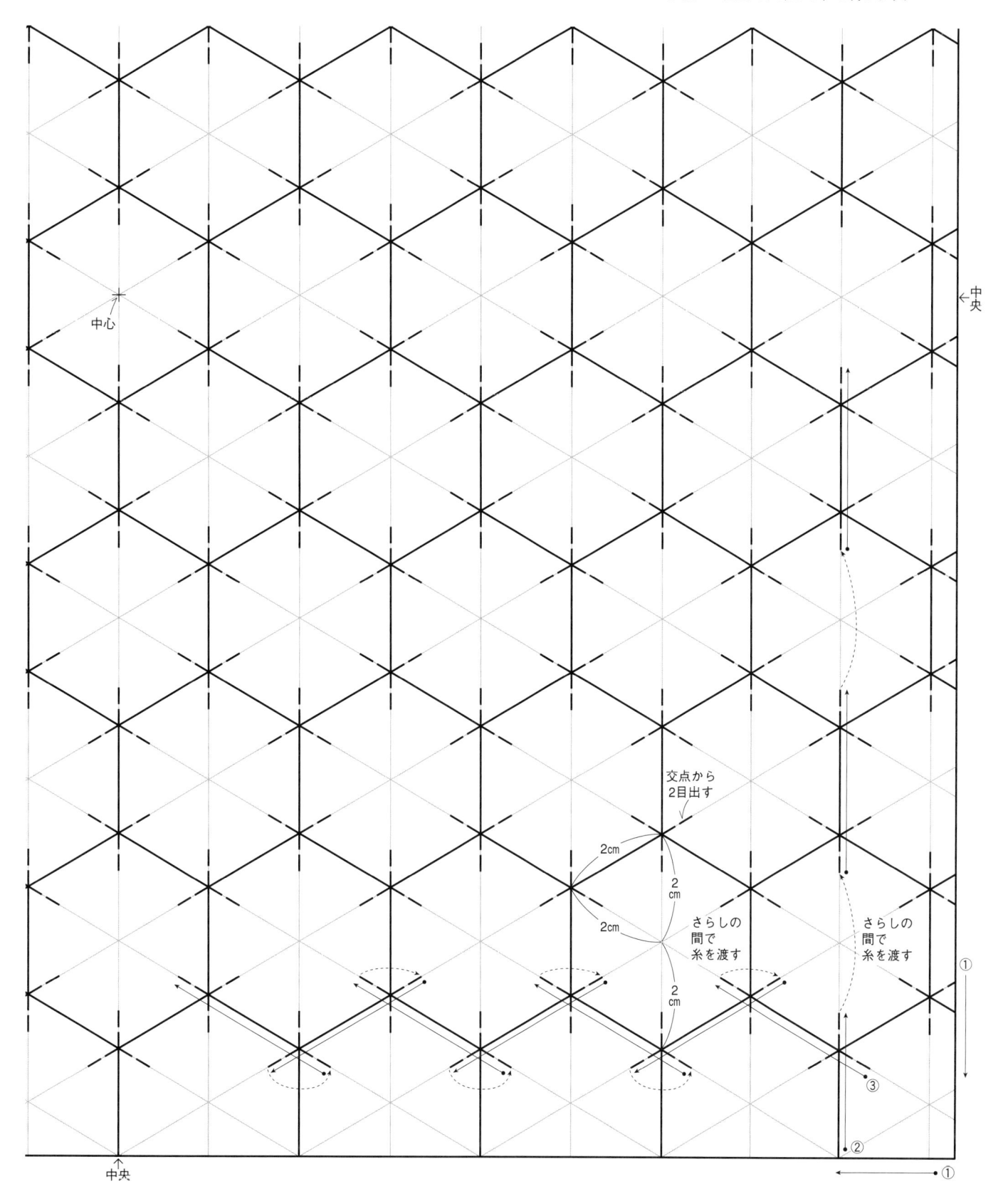

中心

←中央

交点から2目出す

2cm
2cm
2cm
2cm

さらしの間で糸を渡す

さらしの間で糸を渡す

①
②
③

↑中央

実物大図案／霰亀甲(あられきっこう) > p.17

+ 布…オリムパスいろどり刺し子もめん (IR-3) からし1枚
+ 糸…オリムパス刺し子糸 (袋入り)　ブルー (9) 1束
+ 刺し子面のサイズ…32cm×32cm
+ さらしは50ページを参照して仕立て、糸は1本で刺します。

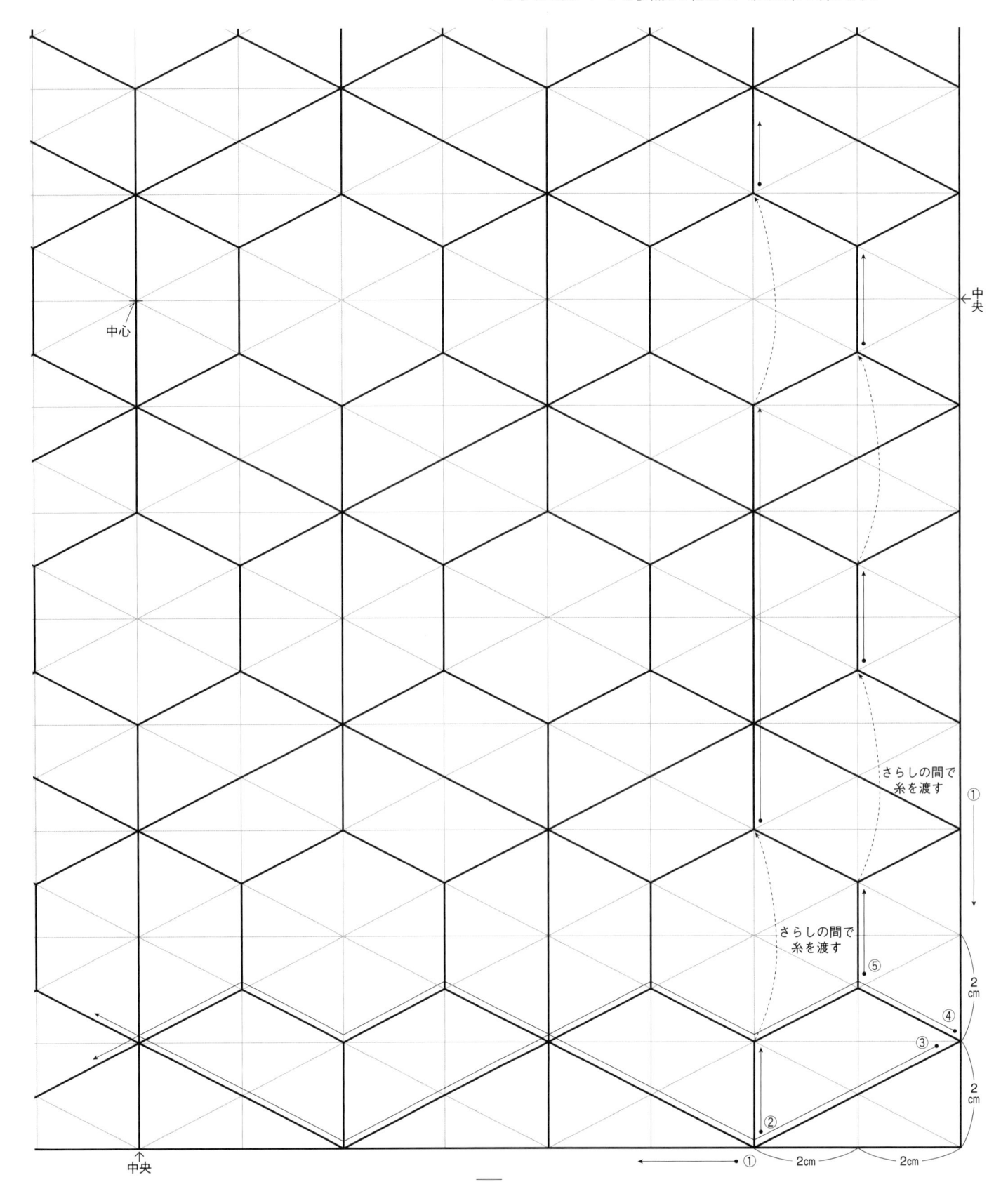

中心

←中央

さらしの間で
糸を渡す

さらしの間で
糸を渡す

①
②
③
④
⑤

2cm
2cm

①　2cm　2cm

中央

実物大図案／変わり毘沙門亀甲 > p.18

+ 布…オリムパスさらしもめん（H-1000）1枚
+ 糸…ホビーラホビーレ 刺し子糸　黄色（115）、ライトグリーン（118）各1束
+ 刺し子面のサイズ…33cm×33cm
+ さらしは50ページを参照して仕立て、糸は1本で刺します。

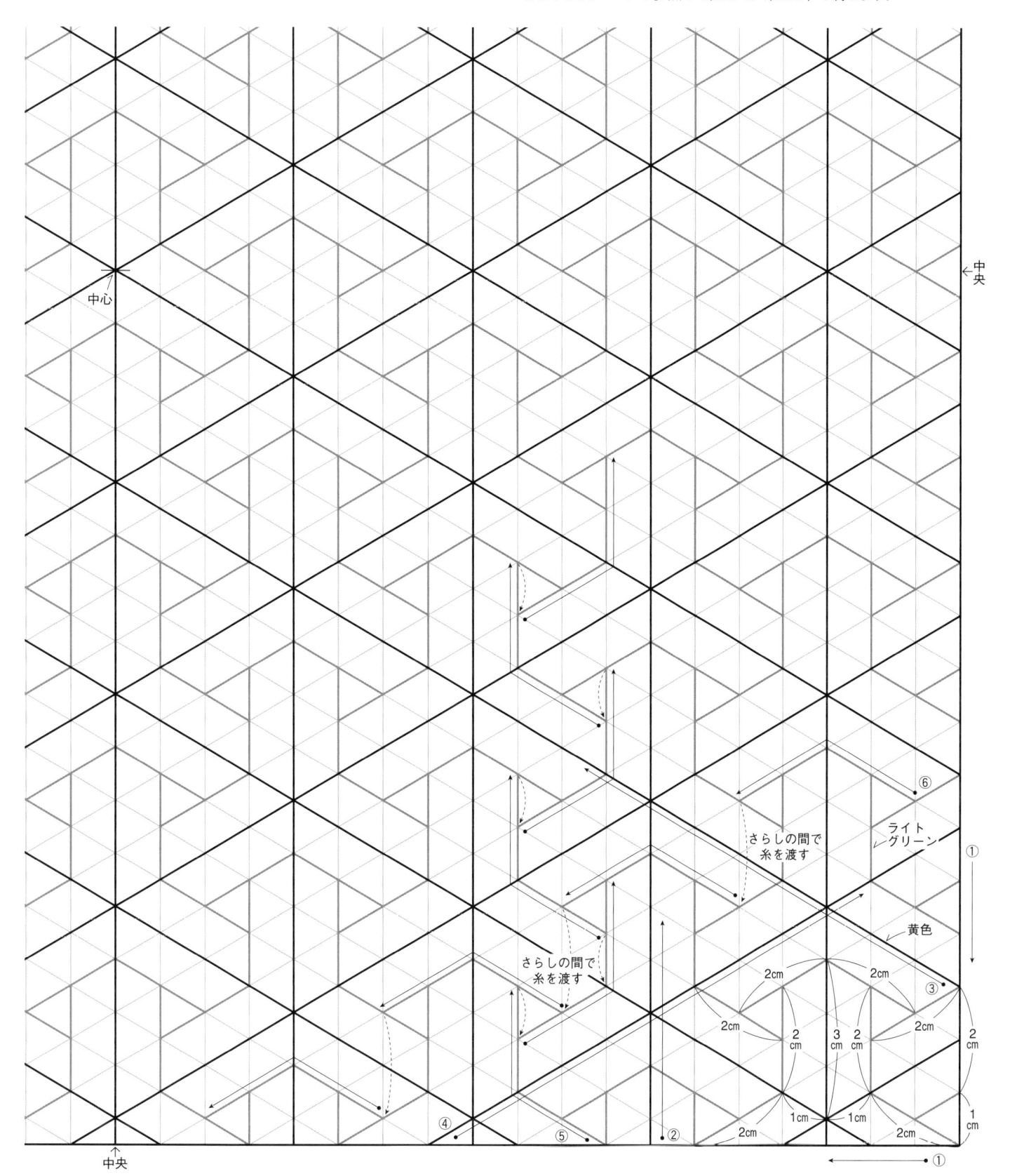

実物大図案／篭目 > p.19

+ 布…オリムパスいろどり刺し子もめん（IR-2）藍1枚
+ 糸…オリムパス刺し子糸（袋入り）　黄緑（6）1束
+ 刺し子面のサイズ…32㎝×約31㎝
+ さらしは50ページを参照して仕立て、糸は1本で刺します。

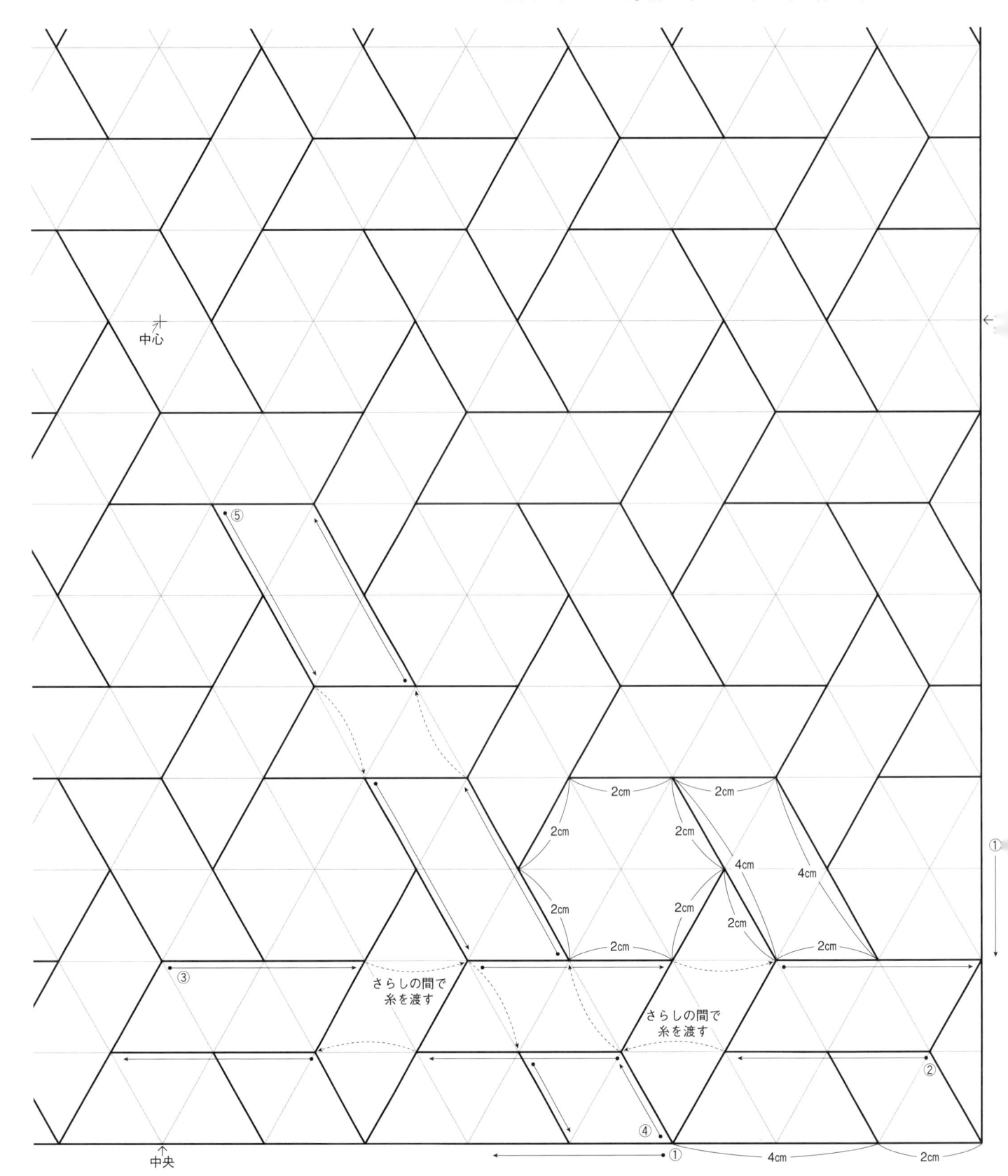

中心

さらしの間で糸を渡す

さらしの間で糸を渡す

中央

実物大図案／六角花文 > p.20

+ 布…オリムパスさらしもめん（H-1000）1枚
+ 糸…ホビーラホビーレ 刺し子糸　濃パープル（121）1束
+ 刺し子面のサイズ…約33.5㎝×約33㎝
+ さらしは50ページを参照して仕立て、糸は1本で刺します。

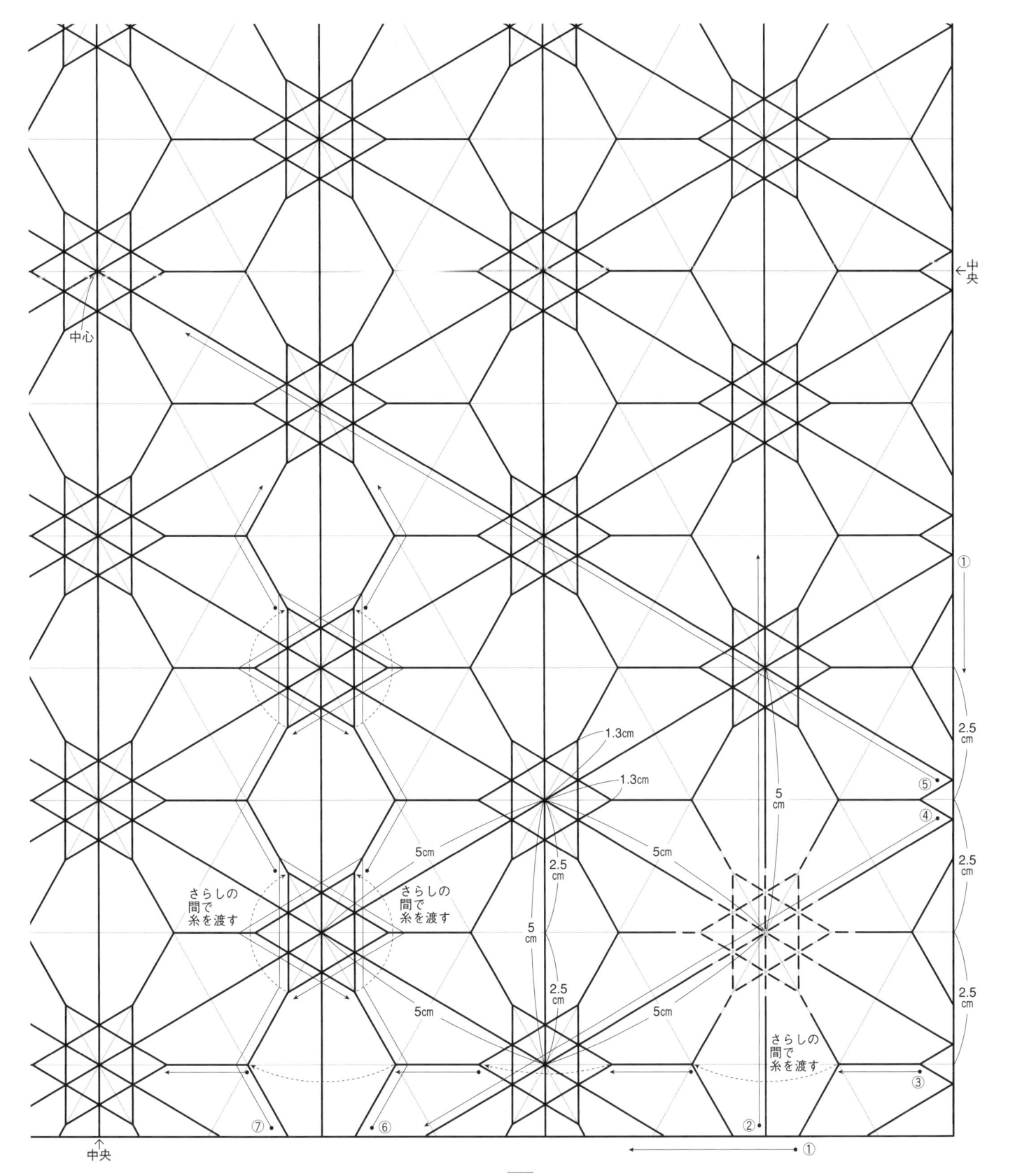

実物大図案／六つ手つなぎ > p.21

+ 布…オリムパスさらしもめん（H-1000）1枚
+ 糸…オリムパス刺し子糸（袋入り）　ピンク・黄色系ミックス（75）1束
+ 刺し子面のサイズ…約32.5cm×33cm
+ さらしは50ページを参照して仕立て、糸は1本で刺します。

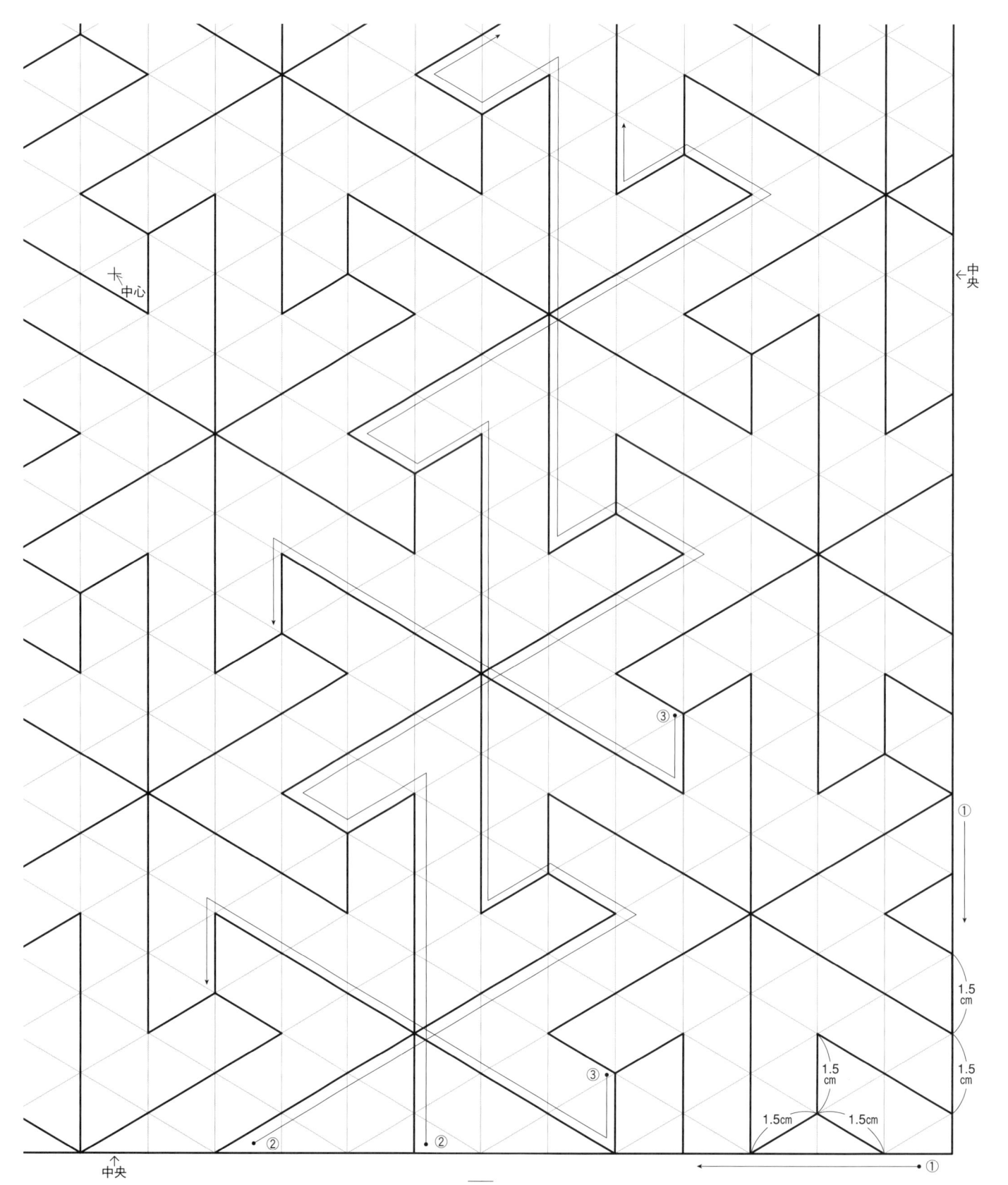

実物大図案／変わり松皮菱 > p.22

+ 布…ホビーラホビーレ スラブコットン・ソフト　ベージュ 34㎝×34㎝
+ 糸…ホビーラホビーレ 刺し子糸　濃ブルー（113）1束
+ 刺し子面のサイズ…約28㎝×28㎝
+ 布は50ページを参照してまわりを額縁仕立てにし、糸は1本で刺します。

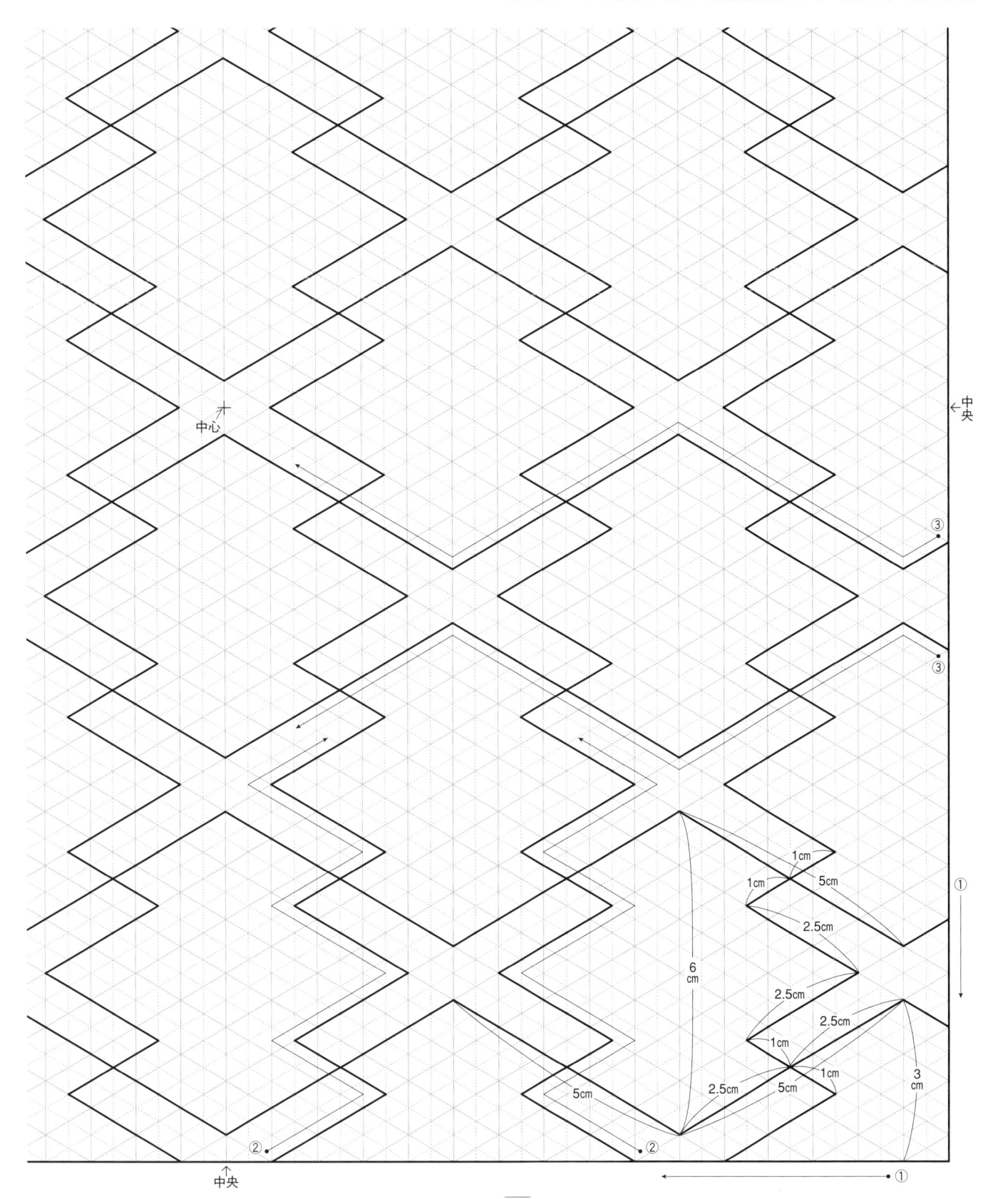

実物大図案／菱に丸十 > p.23

+ 布…オリムパスいろどり刺し子もめん（IR-2）浅葱1枚
+ 糸…オリムパス刺し子糸（袋入り）　からし色（5）、茶色（3）各1束
+ 刺し子面のサイズ…30cm×30cm
+ さらしは50ページを参照して仕立て、糸は1本で刺します。

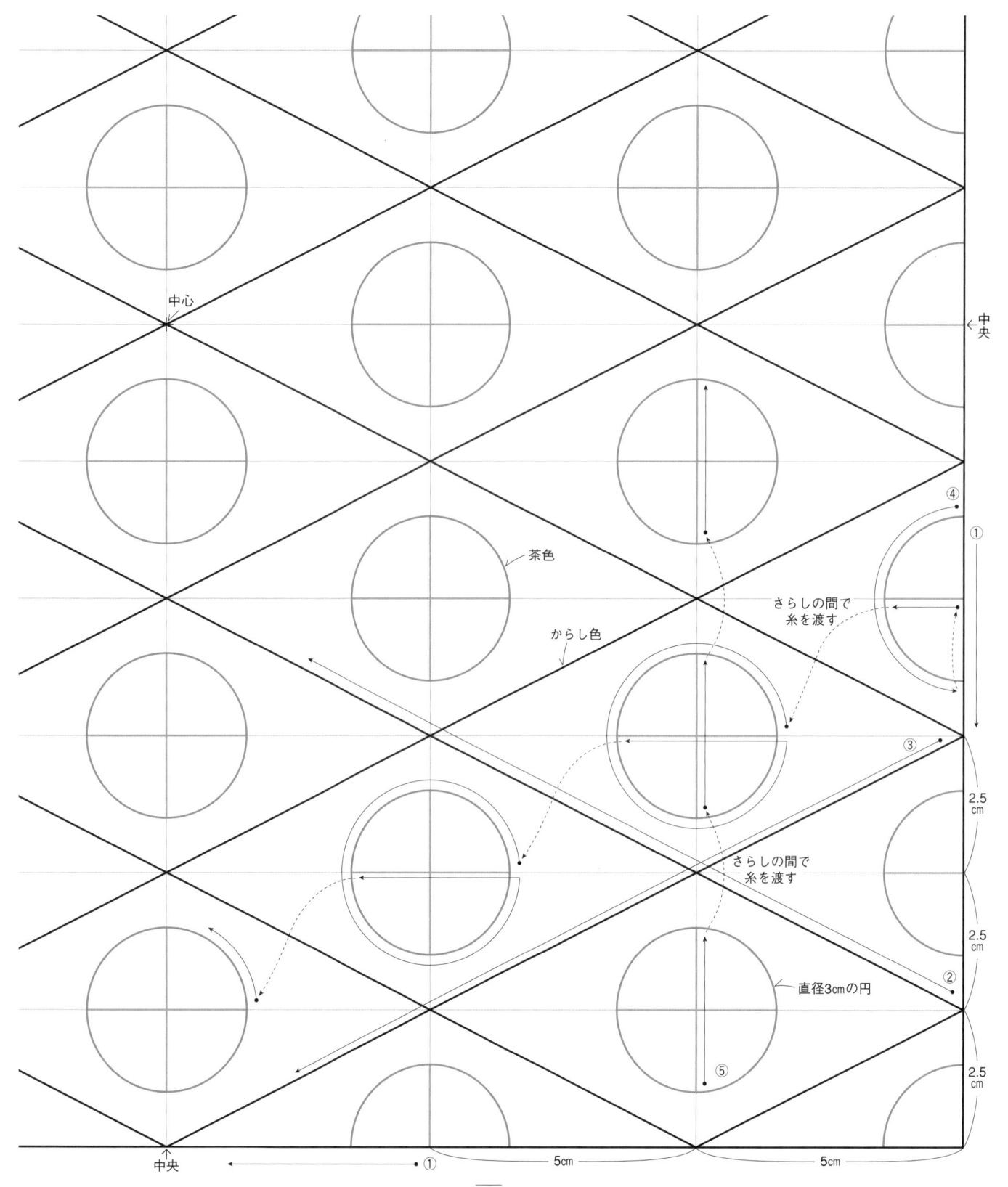

中心

中央

茶色

からし色

さらしの間で糸を渡す

さらしの間で糸を渡す

直径3cmの円

中央

2.5cm

2.5cm

2.5cm

5cm

5cm

実物大図案／七宝つなぎ・七宝くずし > p.24,25

+ 布…[七宝つなぎ] オリムパスさらしもめん（H-1000）1枚
[七宝くずし] オリムパスいろどり刺し子もめん（IR-1）うぐいす1枚
+ 糸…[七宝つなぎ] ホビーラホビーレ 刺し子糸 からし色(117)、
濃パープル（121）各1束
[七宝くずし] オリムパス刺し子糸（袋入り） 生成り（2）1束
+ 刺し子面のサイズ…[七宝つなぎ] 33cm×33cm
[七宝くずし] 30cm×30cm
+ さらしは50ページを参照して仕立て、糸は1本で刺します。

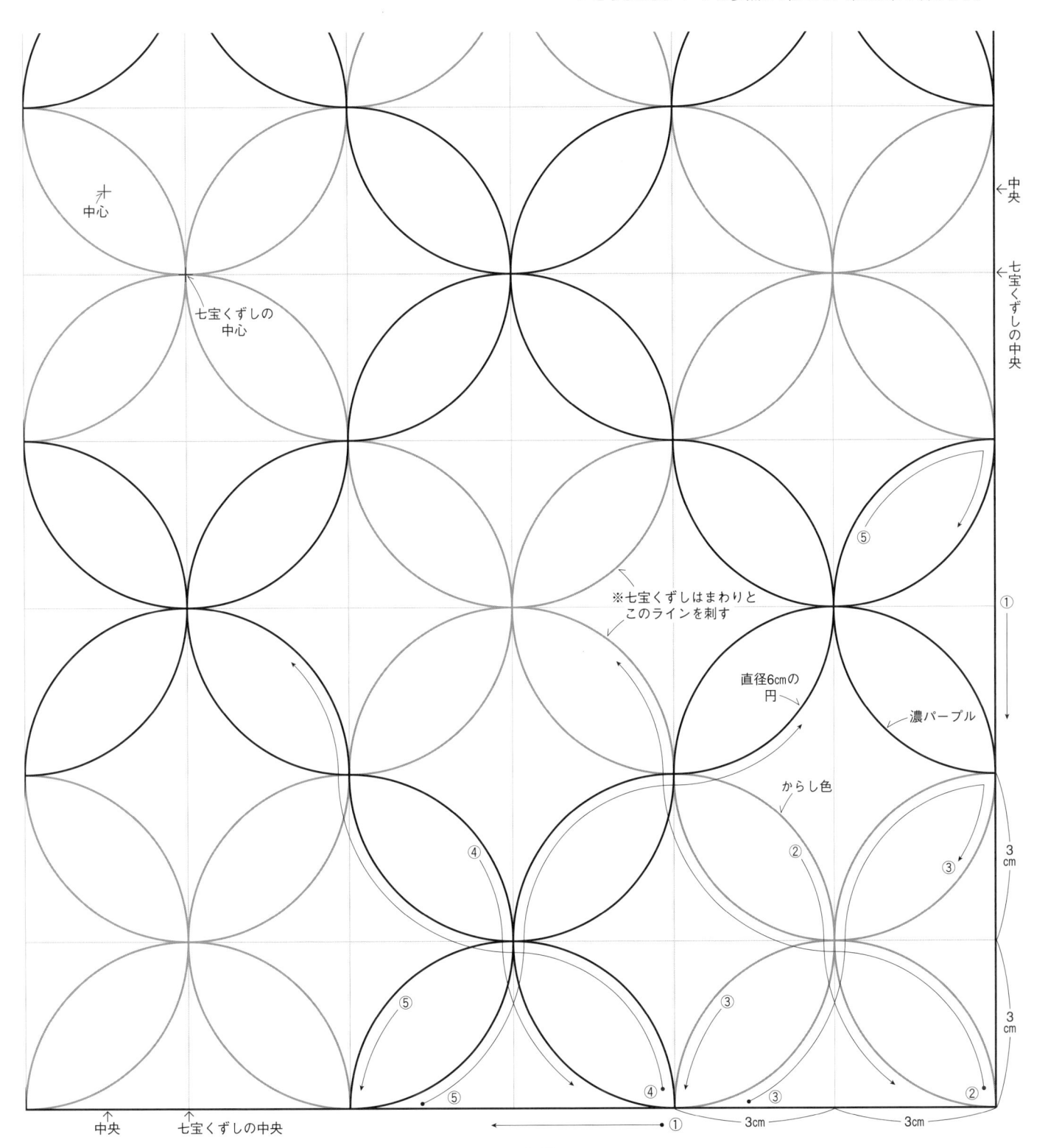

実物大図案／花刺し > p.26

+ 布…オリムパスいろどり刺し子もめん（IR-2）ラベンダー1枚
+ 糸…オリムパス刺し子糸（袋入り）　白（1）、薄ピンク（14）各1束
+ 刺し子面のサイズ…30㎝×30㎝
+ さらしは50ページを参照して仕立て、糸は1本で刺します。

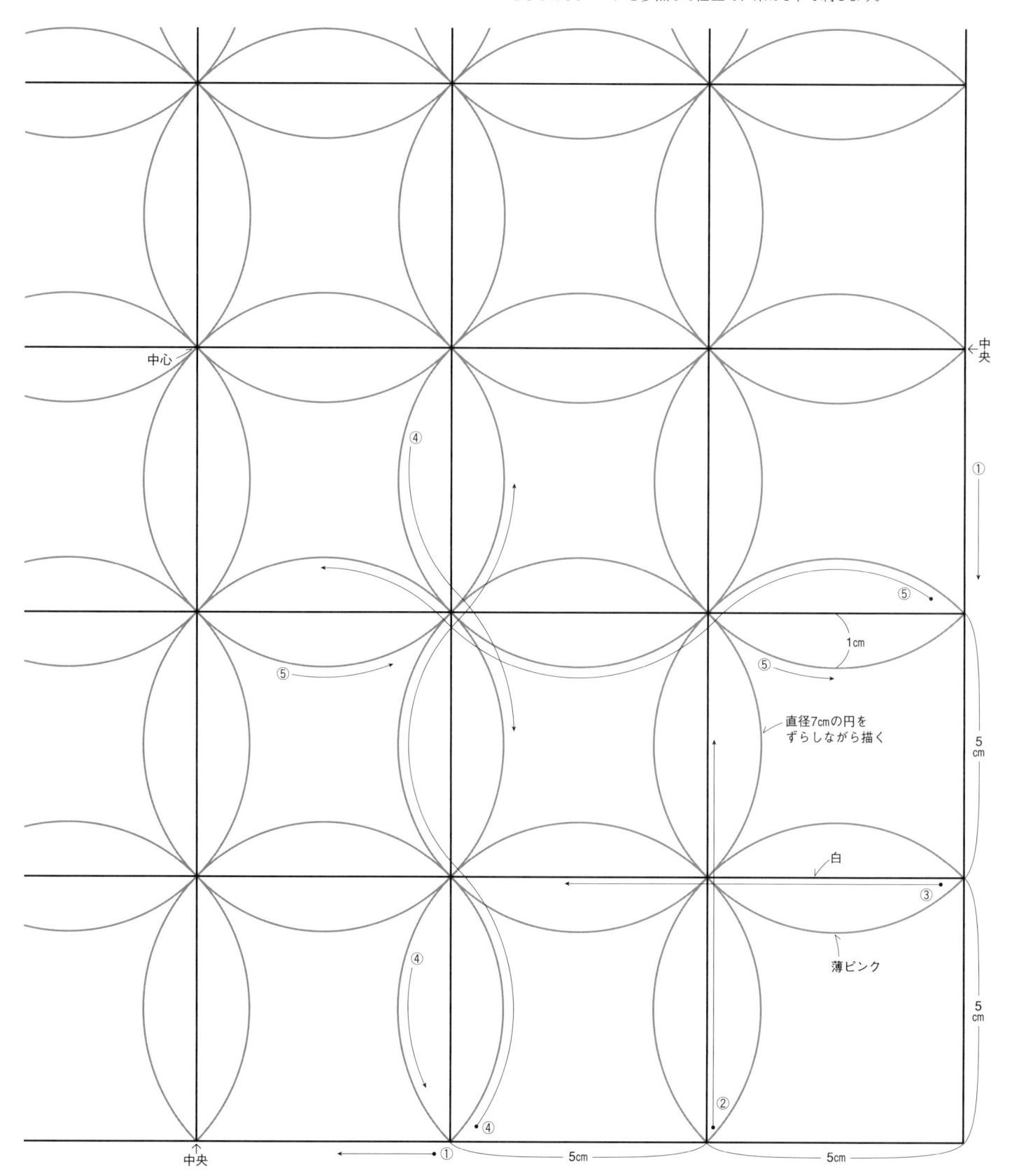

中心

中央

④

⑤

⑤

1cm

⑤

直径7cmの円を
ずらしながら描く

5cm

白

③

薄ピンク

④

5cm

中央

①

②

5cm

5cm

実物大図案／千鳥つなぎ > p.27

+ 布…オリムパスさらしもめん（H-1000）1枚
+ 糸…オリムパス刺し子糸（袋入り）黄色・ピンク系ミックス（75）1束
+ 刺し子面のサイズ…約32cm×32.5cm
+ さらしは50ページを参照して仕立て、糸は1本で刺します。

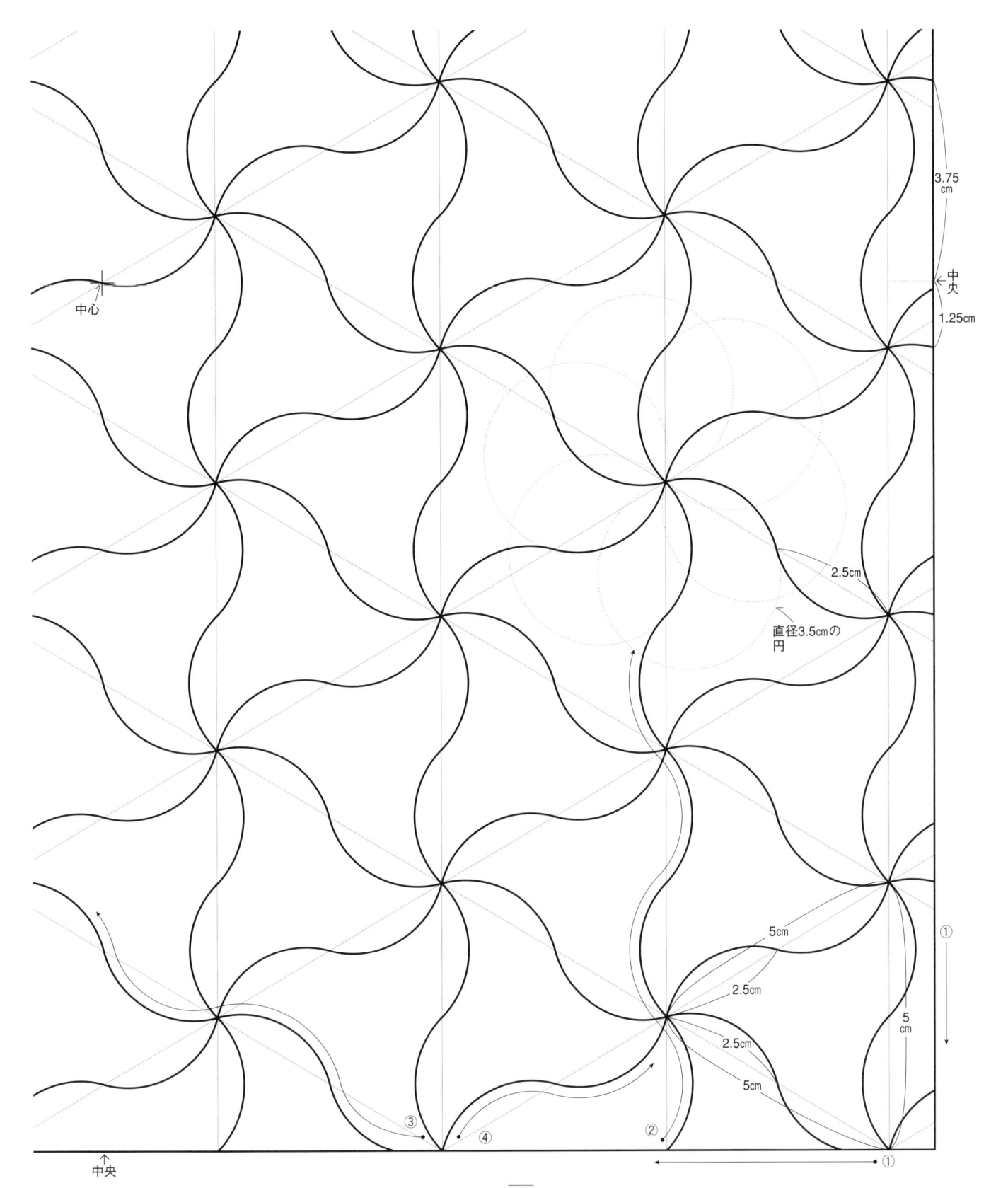

中心

↓中央 3.75cm

↑中央 1.25cm

2.5cm

直径3.5cmの円

5cm
2.5cm
2.5cm
5cm

① 5cm

③ ④ ② ①

↑中央

実物大図案／青海波(せいがいは) > p.28

+ 布…オリムパスいろどり刺し子もめん（IR-2）浅葱1枚
+ 糸…オリムパス刺し子糸（袋入り）　白(1) 1束
+ 刺し子面のサイズ…30㎝×30.5㎝
+ さらしは50ページを参照して仕立て、糸は1本で刺します。

中心

←中央 0.75cm

①

4cm

②

4cm

③
④

糸を渡す

2.5cm

↑中央

① 3cm 3cm

実物大図案／野分 > p.29

+ 布…オリムパスいろどり刺し子もめん (IR-3) からし1枚
+ 糸…オリムパス刺し子糸（袋入り）　茶色 (3) 1束
+ 刺し子面のサイズ…30㎝×30㎝
+ さらしは50ページを参照して仕立て、糸は1本で刺します。

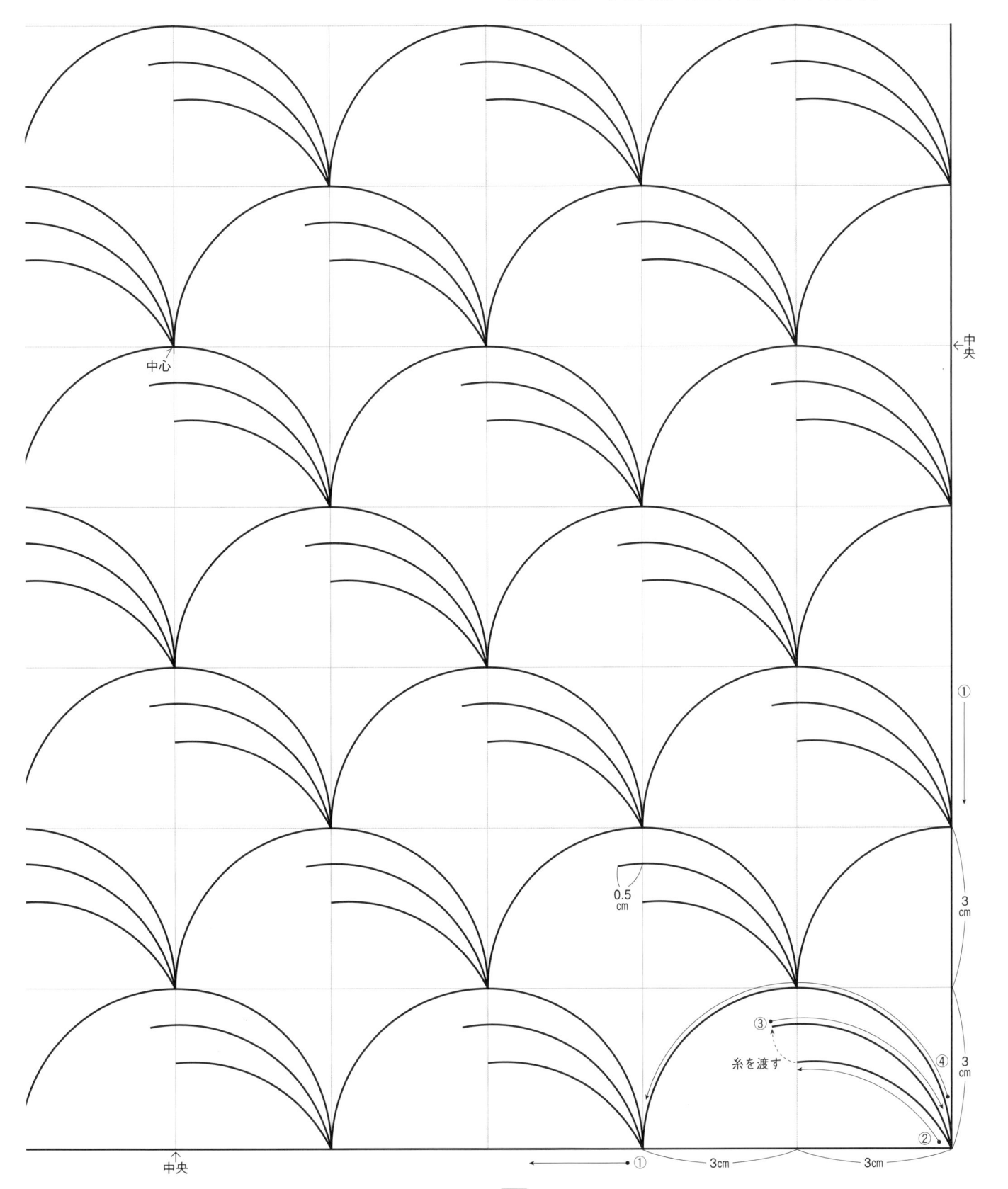

実物大図案／花十字（柿の花） > p.30

+ 布…オリムパスいろどり刺し子もめん（IR-1）渋ピンク1枚
+ 糸…オリムパス刺し子糸（袋入り）　水色（8）1束
+ 刺し子面のサイズ…31.5cm×31.5cm
+ さらしは50ページを参照して仕立て、糸は1本で刺します。

実物大図案／井桁に八角つなぎ > p.33

+ 布…オリムパスいろどり刺し子もめん（IR-3）からし1枚
+ 糸…オリムパス刺し子糸（袋入り）　白(1) 1束
+ 刺し子面のサイズ…32㎝×32㎝
+ さらしは50ページを参照して仕立て、糸は1本で刺します。

↑中心

←中央

←布を裏まですくう

↑中央

0.5㎝
0.5㎝
0.5㎝　0.5㎝

実物大図案／一目井筒つなぎ > p.34

+ 布…オリムパスさらしもめん（H-1000）1枚
+ 糸…ホビーラホビーレ 刺し子糸　パープル（112）1束
+ 刺し子面のサイズ…32.5cm×32.5cm
+ さらしは50ページを参照して仕立て、糸は1本で刺します。

実物大図案／変わり米刺し > p.32

+ 布…オリムパスさらしもめん（H-1000）1枚
+ 糸…ホビーラホビーレ 刺し子糸 ライトグリーン（118）、濃ピンク（111）各1束
+ 刺し子面のサイズ…33㎝×33㎝
+ さらしは50ページを参照して仕立て、糸は1本で刺します。

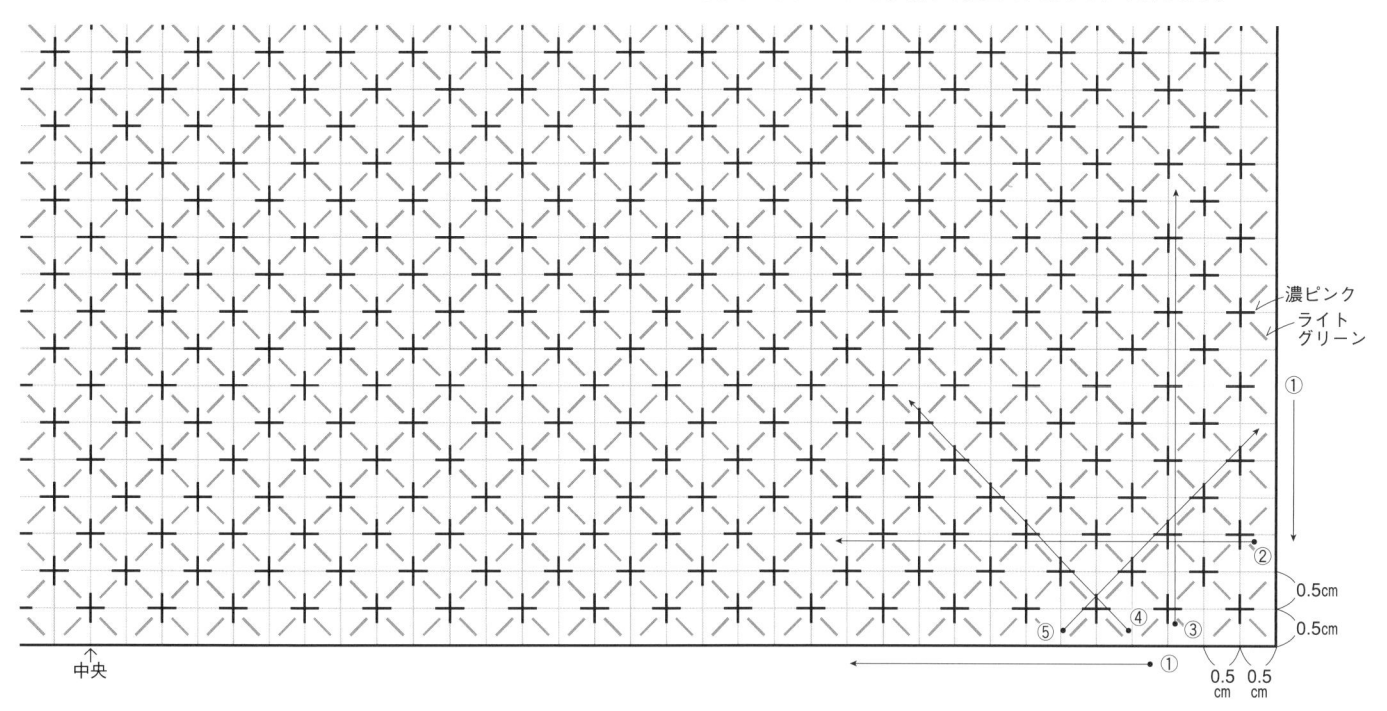

濃ピンク
ライトグリーン

中央

0.5cm
0.5cm
0.5cm
0.5cm

実物大図案／一目格子 > p.35

+ 布…オリムパスいろどり刺し子もめん（IR-1）生成1枚
+ 糸…オリムパス刺し子糸（袋入り）青（10）1束
+ 刺し子面のサイズ…約31㎝×約31㎝
+ さらしは50ページを参照して仕立て、糸は1本で刺します。

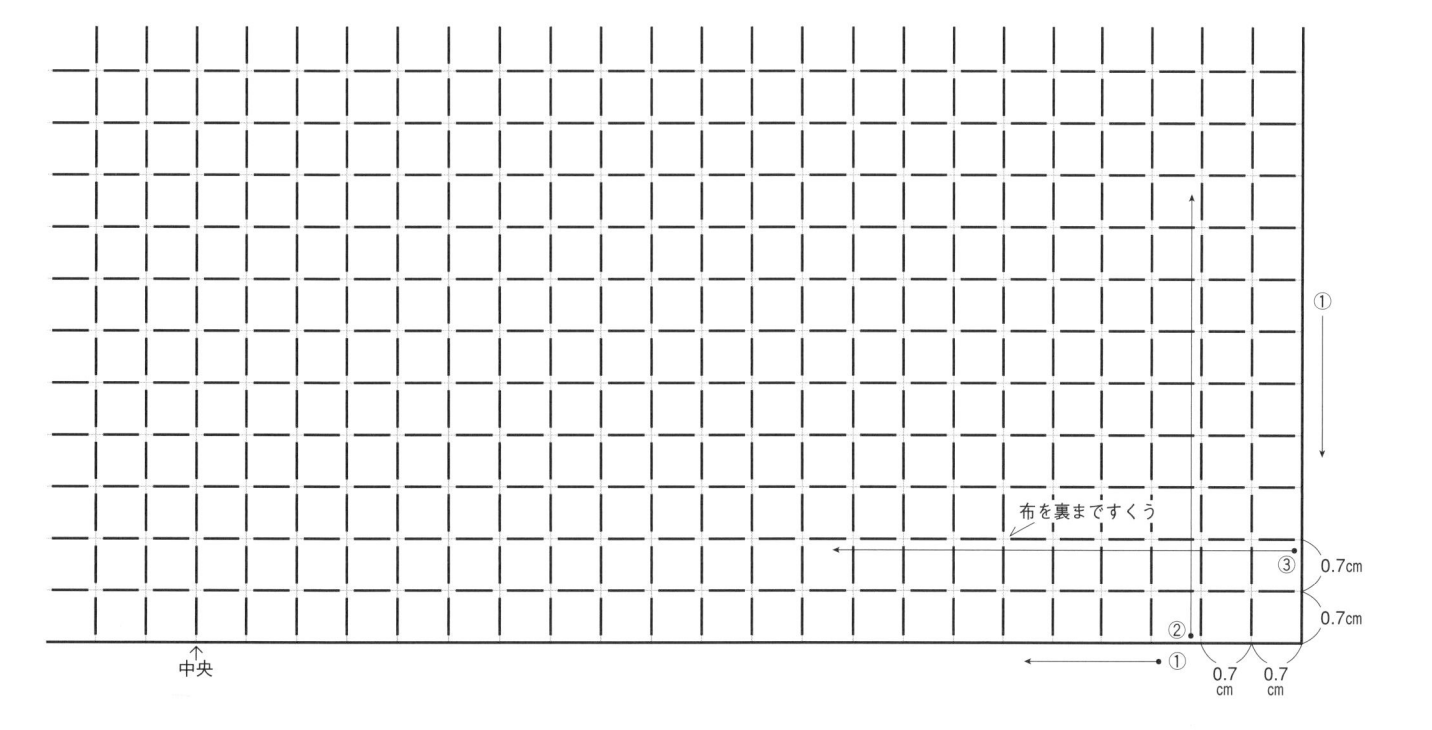

布を裏まですくう

中央

0.7cm
0.7cm
0.7cm
0.7cm

監修・プロセス指導：吉田久美子(Kumiko Yoshida)
秋田出身で刺し子の普及に努めた故・吉田英子の薫陶を受け、現在はカルチャースクール等で後進の指導にあたっている。「刺し子のふきん」(主婦と生活社)ほか、書籍・雑誌へのデザイン提供多数。

Staff

ブックデザイン	天野美保子
撮影	白井由香里
スタイリング	西森 萌
トレース	沼本康代
編集協力	有馬麻理亜
編集担当	谷山亜紀子

・素材提供・
オリムパス製絲株式会社
名古屋市東区主税町4-92　Tel.052-931-6679
http://www.olympus-thread.com

株式会社 ホビーラホビーレ
東京都品川区大井1-24-5　大井町センタービル5階
Tel.0570-037-030 (代表)
http://www.hobbyra-hobbyre.com

・用具提供・
クロバー株式会社
大阪市東成区中道3-15-5　Tel.06-6978-2277 (お客様係)
http://www.clover.co.jp/

・撮影協力・
AWABEES
Tel.03-5786-1600

UTUWA
Tel.03-6447-0070

ちくちく楽しむ
刺し子の
かわいい
花ふきん

発行日／2014年7月26日　第1刷
　　　　2020年12月4日　第9刷
発行人／瀬戸信昭
編集人／森岡圭介
発行所／株式会社日本ヴォーグ社
〒164-8705　東京都中野区弥生町5-6-11
TEL 03-3383-0628 (販売)　03-3383-0637 (編集)
出版受注センター／TEL 03-3383-0650　FAX 03-3383-0680
振替／00170-4-9877
印刷所／凸版印刷株式会社
Printed in Japan　©N.Seto 2014
NV70241
ISBN978-4-529-05337-2 C5077

あなたに感謝しております　We are grateful.

手づくり大好きのあなたが、
この本をお選びくださいましてありがとうございます。
内容はいかがでしたでしょうか？
本書が少しでもお役に立てば、こんなにうれしいことはありません。
日本ヴォーグ社では、手づくりを愛する方とのおつき合いを大切にし、
ご要望におこたえする商品、サービスの実現を常に目標としています。
小社及び出版物について、何かお気付きの点やご意見がございましたら、
何なりとお申し出ください。
そういうあなたに私共は常に感謝しております。

株式会社日本ヴォーグ社 社長　瀬戸信昭
FAX 03-3383-0602

日本ヴォーグ社関連情報はこちら
(出版、通信販売、通信講座、スクール・レッスン)

https://www.tezukuritown.com/　手づくりタウン　検索

＊印刷のため作品の色は実際と多少異なる場合があります。
＊万一、乱丁本、落丁本がありましたら、お取り替えいたします。
　お買い求めの書店か、小社販売部までご連絡ください。
・本誌に掲載する著作物の複写に関わる複製、上映、譲渡、公衆送信(送信可能化を含む)の
　各権利は株式会社 日本ヴォーグ社が管理の委託を受けています。
・JCOPY <(社)出版者著作権管理機構 委託出版物>
　本書の無断複写は著作権法上での例外を除き禁じられています。
　複写される場合は、そのつど事前に、(社)出版者著作権管理機構の許諾を得てください。
　(電話 03-5244-5088、FAX 03-5244-5089、e-mail: info@jcopy.or.jp)